FI A
JOE
ALLEN

I Ffordd Dyfrig FC –
Efan, Ger, Tomos, Raine, Lily, Pebbles,
Dolly, Cameron ac Alison.

Gorau Chwarae Cyd Chwarae

FI A JOE ALLEN

Manon Steffan Ros

Diolch i:

Efan a Ger am fod yn amyneddgar ac yn ffeind;

Meinir Wyn Edwards am fod yn olygydd craff a sensitif;

Huw Meirion Edwards yn y Cyngor Llyfrau;

bawb yn y Lolfa

Argraffiad cyntaf: 2018
© Hawlfraint Manon Steffan Ros a'r Lolfa Cyf., 2018

Cynllun y clawr: Sion Ilar

Rhif Llyfr Rhyngwladol: 978 1 78461 567 3

Dymuna'r cyhoeddwyr gydnabod cymorth ariannol
Cyngor Llyfrau Cymru

Cyhoeddwyd ac argraffwyd yng Nghymru
ar bapur o goedwigoedd cynaladwy gan
Y Lolfa Cyf., Talybont, Ceredigion SY24 5HE
e-bost ylolfa@ylolfa.com
gwefan www.ylolfa.com
ffôn 01970 832 304
ffacs 01970 832 782

1

Y GÔL BERFFAITH.

Y math o gôl dach chi'n aros drwy gydol eich bywyd amdani.

Dwi ddim yn dweud 'mod i'n bêl-droediwr anhygoel. Nid fi ydi'r gorau yn ein blwyddyn ni – dim yn fy nosbarth i, hyd yn oed. Ond roedd hon yn gôl y byddai Gareth Bale yn falch ohoni. Wir yr.

Roedd hi wedi bod yn gêm ddigon diflas tan hynny – 0–0 ar ôl 84 munud. Roedd tîm Aberiorwg yn well na ni fel arfer, ond doedd 'na ddim fflach ynddyn nhw heddiw, a dim siâp sgorio arnon ninnau chwaith. Roedd pawb wedi cael llond bol, ac er ei bod hi'n ddydd Sadwrn braf ym mis Mai, roedd hi'n oer ar gae pêl-droed y Glan. Safai'r rhieni ar ochr y cae yn edrych wedi diflasu'n llwyr, a hyd yn oed y rhai sy'n arfer gweiddi a rhegi o hyd yn dawel heddiw. Roedd Dad wedi sôn ei fod o am ddod. Byddai'n dod i weld gêm pan oedd hi'n braf, ac os nad oedd o'n rhy brysur. Wrth gwrs, roedd

Mam yn sefyll yno, fel y byddai'n gwneud bob un dydd Sadwrn.

Ac yn sydyn, fe ddigwyddodd o.

Dion wnaeth basio'r bêl ata i. Roeddwn i ar yr asgell, ac er na fyddwn i'n cyfaddef hyn i neb, roeddwn i'n gobeithio na fyddai unrhyw un yn pasio'r bêl i mi, gan 'mod i wedi blino gymaint. Ond doedd Dion ddim eisiau'r bêl chwaith, felly fi cafodd hi, a symudais draw i gyfeiriad y gôl, yn disgwyl i un o hogiau Aberiorwg fy nhaclo i. Ond rhywsut, a does gen i ddim syniad sut, llwyddais i osgoi dau ohonyn nhw.

Roedd pethau'n dechrau mynd yn ddiddorol.

Ond roeddwn i'n dal yn gorfod mynd heibio amddiffynnwr gorau Aberiorwg, oedd yn brysio tuag ata i. Curai fy nghalon yn uchel dan fy nghrys, a theimlais ryw egni arbennig yn llifo drwy 'nghorff i gyd, yn enwedig yn fy nghoesau. Edrychais i fyny. A ddylwn i gymryd y gic rŵan? Na. Roedd o'n rhy bell. Mewn dim o dro, roedd yr amddiffynnwr o 'mlaen i, ei droed chwith yn ymestyn am y bêl. Roedd o'n rhy agos – fedrwn i mo'i osgoi o.

Cyn i mi gael amser i feddwl am y peth, roeddwn i wedi penderfynu beth oeddwn i am ei wneud. Ro'n i wedi gwylio pêl-droedwyr fel Messi a Pelé yn ei wneud o gannoedd o weithiau ar y we, ond doedd hogiau deuddeg oed fel fi ddim yn gwneud hyn. Ond dyma wnes i:

Tarais y bêl yn ysgafn gydag ochr fy esgid, trwy goesau'r amddiffynnwr, cyn symud yn sydyn er mwyn nôl y bêl o'r ochr draw. Megsho maen nhw'n galw hynny. Yna, heb feddwl am y peth, saethais at y gôl – y gornel uchaf, ar y chwith – a dyna ni. Gôl y ganrif.

Rhuthrodd yr hogiau draw a neidio arna i dan weiddi.

"Welais i 'rioed neb yn megsho fel'na o'r blaen!" meddai un ohonyn nhw, ac mae'n rhaid i mi gyfaddef, dyna oedd eiliad gorau fy mywyd.

Roeddwn i'n arwr.

Troais i edrych ar y dorf, a 'ngwyneb bron â chracio efo gwên fawr. Roedd y rhieni i gyd yna, pawb yn clapio a chodi bawd, ambell un yn gweiddi "Da iawn ti!" neu "Nais won, Marc!" Roedd Mam yn neidio i fyny ac i lawr, a gwên lydan ar ei hwyneb. Wnaeth hi ddim gweiddi, ond roeddwn i'n gallu dweud ei bod hi'n ofnadwy o falch.

Doedd Dad ddim yna.

Fy ngôl i oedd yr unig un yn y gêm. Glannant 1, Aberiorwg 0. Biti garw nad oedd unrhyw un yn ffilmio gyda'u ffôn, achos mi fyddwn i wedi gallu gwylio'r gôl yna drosodd a throsodd heb flino arni byth.

Roedd pawb yn glên ofnadwy efo fi yn yr ystafell newid, yn enwedig yr hyfforddwr. Fi oedd arwr mawr y dydd. Doeddwn i ddim eisiau gadael, hyd yn oed ar ôl newid ac ar ôl i bawb arall ddechrau gadael.

Safai Mam y tu allan yn aros amdana i. Rhuthrodd ata i a rhoi sws fawr i mi, a rhoi ei breichiau o 'nghwmpas.

"O Marc! Roedd hynna'n anhygoel!"

"Diolch."

"Na, wir yr i ti rŵan. Welais i 'rioed ffasiwn gôl mewn bywyd go iawn. A ti wnaeth ennill y gêm!"

Wnaeth Mam ddim stopio siarad am y peth yr holl ffordd i'r siop, wrth iddi roi pethau yn y fasged, ac wedyn yr holl ffordd adref. Erbyn i ni gyrraedd ein tŷ ni ar Lôn Popty, roedd hi wedi 'nghymharu i efo Gareth Bale, Neymar, Ian Rush a Maradona! Eisteddais ar gadair yn y gegin, wedi ymlâdd ar ôl y gêm. Tarodd Mam y tegell ymlaen, a dechrau rhoi powdr siocled poeth mewn mygiau i ni'n dau.

"Wnaeth Dad ffonio?" gofynnais, gan drio peidio swnio fel bod ots gen i o gwbl.

"Naddo," atebodd Mam a'i chefn ata i, a hithau'n trio swnio fel petai hithau ddim yn malio chwaith. "Falla wneith o ffonio wedyn. Neu, mi gei di ddanfon neges iddo fo ar dy ffôn. Bydd o wrth ei fodd yn clywed am y gôl 'na!"

Ond wnes i ddim. Doeddwn i ddim am ei styrbio fo os oedd o'n brysur.

"Dwi'n mynd i gael cawod cyn y gêm," dywedais wrth Mam ar ôl gorffen y siocled poeth. Roedd Cymru'n chwarae Slofacia, ac roedd Mam wedi prynu pitsa mawr i ni gael ei fwynhau wrth wylio.

Codais ar fy nhraed.

"Hei," meddai Mam, a throais i edrych arni. "Roeddat ti'n well na'r Mark Hughes gwreiddiol heddiw, sti."

Gwell i mi esbonio.

Marc Huws ydw i. Dwi'n ddeuddeg oed ac yn byw ym Mangor efo Mam. Roedd Dad yn byw yma efo ni tan oeddwn i'n saith oed, ond wedyn fe wahanodd Mam a Dad. Mae o'n byw yng Nghonwy bellach, sydd dim ond ryw hanner awr i ffwrdd yn y car. Dwi'n mynd i aros yn ei fflat o weithiau, ond ddim yn aml iawn. Mae o'n ddyn prysur. Mae ganddo fo swydd bwysig, rhywbeth i'w wneud efo gwerthu cyfrifiaduron i gwmnïau mawr. Gofalwraig ydi Mam, sy'n mynd o gwmpas tai hen bobl i'w helpu nhw i folchi a phethau felly.

Ydych chi wedi sylwi ar fy enw i?

Marc Huws.

I'r rheiny sydd ddim yn gwybod, roedd 'na ddyn yn chwarae pêl-droed i Gymru o'r enw Mark Hughes, ac roedd o'n enwog iawn. Mae o wedi chwarae i glybiau mawr fel Man U a Barca hefyd, ac am fod Dad yn ffan mawr o bêl-droed, mae o'n addoli Mark Hughes.

Huws ydi cyfenw Dad hefyd, a phan gafodd Mam a Dad wybod 'mod i ar fy ffordd, roedd Dad yn trio mynnu y byddai'n rhaid i fi gael fy ngalw'n Marc petawn i'n fachgen. Ond roedd Mam eisiau Mabon, ac yn dweud y byddai pobl yn gwneud hwyl am fy mhen i petawn i'n cael fy enwi ar ôl pêl-droediwr. Er ei bod hithau hefyd yn licio pêl-droed, doedd hi ddim wir yn hoff iawn o'r enw Marc.

Ond ar ôl i mi gael fy ngeni – ac roedd hwnnw'n gyfnod eitha anodd i Mam, dwi'n meddwl, a hithau wedi mynd braidd yn sâl – dechreuodd Dad fy ngalw i'n Marc beth bynnag. Fe ddywedodd wrth bawb mai dyna oedd fy enw i, a 'mod innau hefyd am chwarae i Gymru, fel y Mark Hughes gwreiddiol. Erbyn i Mam wella, roedd hi'n teimlo'n rhy hwyr iddi newid fy enw i. Dad gafodd ei ffordd, a Marc Huws ydw i byth ers hynny.

Mae Mam yn dweud ei bod hi wrth ei bodd efo'r enw erbyn hyn.

Rhyfedd ydi stracon fel yna, achos er mai stori amdana i ydi hi, dwi ddim yn siŵr sut i dcimlo am yr hanes. Pan fydd Dad yn siarad am y peth, mae o'n llawn chwerthin a hwyl: "Ro'n i'n gwybod mai pêl-droediwr oeddat ti am fod!" Ond dydi Mam ddim yn gwenu lot wrth ddweud y stori. Dwi'n meddwl y byddai hi wedi licio cael fy enwi i.

Roedd hi'n gêm anhygoel. Roedd hyd yn oed Mam yn dweud. Bale, fel mae o, yn sgorio fel petai ganddo fo bŵer hudol dros y bêl, a Robson-Kanu yn gadael i'r bêl grwydro i fewn i'r gôl yn ddigon hamddenol. 2–1 i ni, a doedd gôl Slofacia fawr o gop.

"Ti'n meddwl ei bod hi'n bosib y byddan ni'n

gallu ennill yr Ewros?" gofynnais i Mam wedyn, y ddau ohonon ni'n llawn dop o bitsa a phop.

"Pam ddim? Mae Bale yn un o chwaraewyr gora'r byd," meddai Mam. Chwarae teg iddi. Dwi'n meddwl ei bod hi wedi dechrau dilyn pêl-droed achos 'mod i'n gwneud, ond roedd hi wir fel petai'n mwynhau gwylio gemau erbyn hyn. Ac roedd ganddi bwynt.

Pingiodd fy ffôn yn hwyrach y noson honno, wrth i mi syrthio i gysgu. Dad.

2–1!

Dyma oedd y neges gyntaf iddo fo'i hanfon i mi ers saith wythnos. Ceisiais feddwl yn ôl i'r tro diwethaf y gwelais i o. Mam bach! Nadolig. Pum mis yn ôl.

Wnes i ddim ateb y neges, dim ond troi fy nghefn ar y ffôn, a thrio anwybyddu'r llosgi yn fy mol. Gwyddwn yn iawn beth oedd o. Dyma fyddwn i'n ei deimlo bob tro efo Dad. Siom.

Syllais ar y poster mawr oedd yn gwenu arna i o gefn y drws. Roedd o'n enfawr, ac roeddwn i wrth fy modd efo fo. Joe Allen. Un o fy hoff chwaraewyr erioed. Roedd o'n arfer chwarae i 'nhîm i – Lerpwl

– ac er nad oedd o'n cael gymaint o sylw â llawer o'r chwaraewyr eraill, roeddwn i'n meddwl y byd ohono fo. Dyn eitha byr ydi o, a wastad yn swnio'n ffeind iawn pan mae'n cael ei gyfweld. Ond ro'n i'n ei edmygu am ei fod o'n gyflym ac yn gyfrwys ac am wybod sut i chwarae fel rhan o dîm. Roedd hi'n cymryd dyn go iawn i adael i bobl eraill sgorio'r goliau dach chi wedi eu creu.

Hefyd, mae'n rhaid i mi gyfaddef: mae Joe Allen yn debyg i Dad. Roedd ambell un wedi sôn am y peth yn y gorffennol, ac weithiau, pan fyddwn i'n syrthio i gysgu, byddwn yn dychmygu mai poster o Dad oedd ar y wal, nid poster o bêl-droediwr nad oeddwn i'n ei adnabod.

Ond roedd heddiw'n wahanol, rhywsut. Roedd Joe Allen wedi tyfu ei wallt yn hir bellach, a barf fach ganddo hefyd. Mae'n siŵr nad oedd o mor debyg i Dad bellach.

Mi wnes i 'run fath ag y bydda i'n ei wneud bob tro y bydd rhywbeth yn fy mhoeni i'n hwyr yn y nos – cau fy llygaid a meddwl am y goliau roeddwn i wedi eu gweld ar YouTube. Dwi'n meddwl i mi syrthio i gysgu'r noson honno yn meddwl am y ffordd roedd Pelé wedi megsho yn y gêm yn erbyn Lloegr yng Nghwpan y Byd yn 1970.

Petawn i'n gwybod beth oedd yn mynd i ddigwydd nesaf, dwi ddim yn meddwl y byddwn i wedi gallu cysgu o gwbl. Achos weithiau, mae'r union beth dach chi eisiau iddo fo ddigwydd *yn* digwydd, a phethau'n troi allan yn union fel roeddech chi wedi gobeithio. A dyna oedd ar fin digwydd i mi.

2

WNES I DDIM ateb neges Dad yn syth. Roedd hi'n rhy hwyr yn y nos, a doeddwn i ddim yn gwybod beth i'w ddweud. Mae'n anodd, weithiau, gwybod beth i'w ddweud pan mae 'na lawer iawn o amser wedi mynd heibio ers i chi siarad efo rhywun. Roedd gen i gymaint i'w ddweud wrtho fo – am yr ysgol, a sut ges i'r wobr am yr un gorau yn y clwb côdio; amdana i a Cian, fy ffrind gorau, yn mynd i'r sinema; ac am gêm neithiwr, wrth gwrs, ac am fy ngôl innau yn gêm ddoe.

Yn y diwedd, mi wnes i ei ateb o tua canol bore'r diwrnod wedyn, ar ôl i mi gael brecwast. Dyma ddywedais i:

Bril! Wnes i sgorio gôl i ennill gêm ni ddoe hefyd. X

Byddwn i wedi gallu mynd ymlaen ac ymlaen am y gôl, wrth gwrs, ond penderfynais gadw'r hanes nes 'mod i'n gweld Dad. Byddwn i'n gallu actio'r peth allan fy hun wedyn, iddo fo gael gweld yn iawn. Ymhen rhyw hanner awr, roedd Dad wedi ateb, ond dim ond efo emoji bawd-i-fyny. Roeddwn i braidd yn siomedig.

"Prysur ydi o, 'de," meddai Cian pan es i draw i'w dŷ o yn y prynhawn.

Mae Cian a finnau wedi bod yn yr un dosbarth yn yr ysgol erioed, ac mae o'n handi iawn fel ffrind gorau achos ei fod o a'i rieni yn byw drws nesaf i Mam a fi. Rydan ni'n gwneud pob un dim efo'n gilydd, hyd yn oed cerdded i'r ysgol ac adref. Ond mae o'n ffrind gorau rhyfedd i rywun fel fi, hefyd, achos mae o'n casáu pêl-droed â chas perffaith. Bob tro dwi'n sôn am ryw gêm, mae o'n ysgwyd ei ben ac yn dweud "Bla bla bla bla!" Dwi'n gwneud yr un fath pan mae o'n sôn am ei hoff bethau yn y byd, sef dawnsio stryd a cherddoriaeth rap. Mae'n beth od ein bod ni'n ffrindiau mor dda, ond rywsut, mae Cian a finnau'n deall ein gilydd.

Roedden ni'n chwarae gêm rasio ceir ar y cyfrifiadur yn ei lofft o. Gallwn glywed arogl rhywbeth bendigedig yn dod o'r gegin. Byddai tad Cian yn treulio pob un prynhawn dydd Sul yn pobi. Roedd o wedi dweud wrtha i heddiw mai rholiau sinamon oedd ar y gweill, ac roedd meddwl am y rheiny'n ddigon i dynnu dŵr o 'nannedd i.

"Prysur?" Roeddwn i newydd fod yn sôn wrth Cian am Dad, am y ffordd doedd o bron byth yn cysylltu efo fi. "Rhy brysur i ddanfon tecst?"

"Mi *wnaeth* o ddanfon tecst, Marc. Dyna ti newydd ddweud wrtha i."

Ochneidiais. Fyddai Cian byth yn deall. Ceisiais ddychmygu Dad yn treulio'i brynhawniau Sul yn pobi fel tad Cian. Byth bythoedd.

"Dwcud ydw i y bydda fo wedi bod yn neis tasa fo wedi gofyn sut oeddwn i, neu rywbeth."

Rhegodd Cian. Roedd o newydd grasio'i gar. Rhuthrodd fy Lamborghini heibio ei Porsche o, ac wedi ailafael yn y gêm, dywedodd Cian, "Ond dach chi'n ocê, chdi a dy fam. Dwyt ti ddim ei angen o, nag wyt?"

Dwi ddim yn meddwl ei fod o wedi sylwi na wnes i ateb. Roedd o'n canolbwyntio ar y gêm.

Roedd pethau wedi dechrau poethi erbyn y gêm nesaf. Dwi'n meddwl bod pobl wedi dechrau sylweddoli bod gan Gymru dîm cryf, ac mae'n hawdd cefnogi pan mae tîm yn gwneud yn dda. Roedd pobl nad oedden nhw'n arfer mwynhau pêl-droed yn dechrau cymryd diddordeb. Byddwn i'n pasio sawl tŷ oedd yn hongian baner Cymru drwy'r ffenest ar fy ffordd i'r ysgol.

Ar y dydd Iau, roedd Cymru'n chwarae yn erbyn Lloegr, ond roedd y gêm yn dechrau yn ystod y prynhawn – amser ysgol. Roeddwn i wedi crefu ar Mam i adael i mi ddod adref amser cinio, a dweud fod gen i apwyntiad deintydd neu rywbeth. Ond mae Mam yn meddwl mai'r ysgol ydi'r peth pwysicaf yn y byd i gyd, felly doedd gen i fawr o obaith o hynny. Byddai'n rhaid i mi redeg adref i weld diwedd y gêm.

Ond yn y diwedd, doedd dim rhaid i mi. Ynghanol y wers Ddaearyddiaeth daeth neges i ddweud fod 'na wasanaeth brys i'r ysgol gyfan yn y neuadd. Doedd hyn ddim wedi digwydd o'r blaen, felly fe gododd pawb yn reit sydyn, ac ambell un o'r plant gwirionaf yn dweud pethau gwirion fel "Mae 'na rywbeth ofnadwy wedi digwydd" ac "Ooo, mae gen i ofn clywed!"

Eisteddodd pawb fel y bydden nhw mewn gwasanaeth arferol, ond roedd pawb ychydig yn dawelach nag arfer, am fod pob un ychydig yn nerfus. Safai Mrs Ellis, y ddirprwy brifathrawes, ar y llwyfan, ei breichiau wedi eu plethu a golwg ddifrifol iawn ar ei hwyneb.

"Be ti'n meddwl sy'n digwydd?" sibrydais wrth Cian.

"Dwn i'm. Ond dydi o ddim yn edrych fel newyddion da, yn ôl gwyneb tin Mrs Ellis!" atebodd yntau.

Ar ôl i bawb gyrraedd y neuadd, dechreuodd Mrs Ellis siarad. Am unwaith, roedden ni i gyd yn gwrando'n astud.

"Pawb yn dawel, os gwelwch yn dda. Ydi, mae hynny'n eich cynnwys chi yn y cefn 'na. Reit. Mae'n siŵr eich bod chi'n meddwl tybed pam rydych chi wedi cael eich galw yma i'r neuadd. Wel, mae gen i wers ychwanegol i chi." Cerddodd i flaen y llwyfan, a throi'r taflunydd ymlaen, fel bod cefn y llwyfan yn troi yn un sgrin fawr. Yna, trodd at ei chyfrifiadur glin. "Gwers ymarfer corff fydd hon, ond does dim angen i neb ymestyn am eu trênyrs." Gwthiodd ambell fotwm, a llenwodd y sgrin efo darluniau o'r stadiwm draw yn Ffrainc.

Aeth bloedd drwy'r neuadd. Roedden ni'n cael gwylio'r gêm!

Gwenodd Mrs Ellis yn llydan ar bawb. "Pawb i ganolbwyntio, a neb i regi, plis!"

Rhoddodd Cian ei law i fyny. "Ga i ddarllen, Miss? Mae pêl-droed yn *boring*."

Cododd Mrs Ellis un ael wrth syllu'n ôl arno. "Na chei wir. Gwers ydi hon, Cian, ac mae'n rhaid i ti ganolbwyntio 'run fath â faset ti'n gwneud mewn gwers Maths neu Ddaearyddiaeth."

Pnawn arbennig oedd hwnna. Wna i byth anghofio pawb yn y neuadd (hyd yn oed Cian) yn cydganu'r anthem efo'r tîm, a'r teimlad o obaith a chyffro pan ddaeth hi i'r darn 'Gwlad, gwlad, pleidiol wyf i'm gwlad'. Er na fyddwn i'n cyfaddef wrth unrhyw un, roeddwn i'n teimlo fel crio gan hapusrwydd a balchder.

Dwi ddim yn meddwl bod 'na ffasiwn sŵn wedi bod yn ein hysgol ni erioed â phan sgoriodd Bale. 42 munud, cic rydd, a phawb yn y neuadd ar eu traed ac yn gweiddi nerth eu pennau. Hyd yn oed yr athrawon!

Doedd hyn ddim wedi digwydd o'r blaen. Yn sydyn, roedd hi'n teimlo fel petai pêl-droed yn cyfri, yn bwysig – nid yn unig i fi, ond i bawb arall o 'nghwmpas i.

Wnaeth pawb ddim aros i weld diwedd y gêm.

Doedd hi ddim yn gorffen tan ymhell ar ôl y gloch olaf, ac roedd rhai yn gorfod dal bysys, neu eisiau mynd adref. Aeth Cian hebdda i, ar ôl gaddo y byddai'n galw i ddweud wrth Mam y byddwn i'n hwyr yn cyrraedd adref.

Colli wnaethon ni yn erbyn Lloegr. Dwy gôl, gan Vardy a Sturridge, ac roedd y siom yn y neuadd yn tawelu pawb. Ar ddiwedd y gêm, dyma Mrs Ellis yn diffodd y sgrin, a dweud, "Rwsia nesa. Peidiwch â cholli ffydd Honna ydi'r gêm bwysig."

Doedd ganddi hi na fi ddim syniad pa mor bwysig fyddai'r gêm honno i mi.

"Wyt ti wedi gwneud dy waith cartref?" gofynnodd Mam yn ddiweddarach y noson honno. Ro'n i'n gwylio'r gêm eto ar y teledu mawr yn yr ystafell fyw, ac roedd hi newydd orffen golchi'r llestri swper.

"Does gen i ddim gwaith cartref."

"Paid â malu, Marc. Mae 'na restr yn dy lyfr cyswllt di – gorffen rhyw waith Maths a sgwennu adolygiad o lyfr Cymraeg."

Ochneidiais. "Dydyn nhw ddim i fod i mewn tan wythnos nesa."

"Ond mae'n well gadael digon o amser, dydi?"

Roedd Mam yn grêt am gymaint o bethau. Hi oedd yn gwneud pob un dim drosta i – coginio pob pryd o fwyd, golchi'r llestri, golchi fy nillad, smwddio 'nghrysau ysgol, yr holl bethau sy'n cymryd dau riant i'w gwneud fel arfer. Ac roedd hi'n hwyl, hefyd, yn ddigri ac yn annwyl ac yn glên. Ond roedd 'na un peth y byddai'r ddau ohonon ni'n anghytuno amdano.

Roedd Mam yn benderfynol 'mod i'n gweithio'n galed o hyd yn yr ysgol. Wrth gwrs, roedd 'na rieni eraill fel'na, ond doeddwn i ddim yn nabod unrhyw un oedd yn debyg i Mam. Byddai'n gwneud yn siŵr 'mod i'n darllen am awr bob nos, yn chwilio drwy fy llyfr cyswllt bob nos i weld beth oedd gen i ar y gweill, ac yn gwneud i mi astudio am hydoedd ar gyfer profion bach pitw oedd ddim yn bwysig. Doedd rhieni Cian byth yn edrych yn ei lyfr cyswllt o! Fo oedd yn ffugio llofnod ei dad ar bob tudalen. Os oedd o'n gwneud yn wael mewn prawf, roedden nhw'n dweud wrtho am drio'n galetach tro nesaf, a dyna ddiwedd arni.

Roedd Mam hyd yn oed wedi mynd ar y we er mwyn dysgu Maths iddi hi ei hun er mwyn gallu fy helpu i. Roedd hi'n gwrando ar wersi Ffrangeg ar-lein wrth goginio a thacluso'r tŷ er mwyn iddi allu gwneud yn siŵr bod fy ngwaith i'n gywir. Y rhan fwyaf o'r amser, fyddai hyn ddim yn fy mhoeni i, ond weithiau, fel heno, doedd gen i fawr o amynedd.

"Mae o'n ocê, Mam, mi wna i 'ngwaith cartref mewn pryd."

"Ond mae eisiau i ti ei wneud o'n *iawn*..."

"Dwi *yn* ei wneud o'n iawn bob tro!"

Byddai'r sgwrs yna'n hawdd wedi gallu troi yn ffrae, ond dwi ddim yn meddwl bod gan Mam y nerth i ddadlau efo fi'r noson honno. Eisteddodd i lawr wrth fy ymyl i wylio gweddill y gêm.

Roeddwn i ar fin mynd i 'ngwely pan daeth sŵn tincial o fy mag ysgol. Neges. Neges gan Dad.

"Pwy sy 'na?" gofynnodd Mam, wrth orffen ei phaned.

"Dad," atebais yn onest.

Nodiodd Mam heb ddweud gair. Doedden ni ddim yn siarad am Dad yn aml.

"Neges od," dywedais wedyn. Efallai na ddylwn i fod wedi dweud dim. "Mae o'n gofyn os oes gen i basbort."

Eisteddodd Mam i fyny'n syth yn ei chadair, ei hwyneb wedi difrifoli. "I be?"

"Dydi o ddim yn deud mwy na hynny," atebais, gan ysgwyd fy mhen. "Mae gen i un, does? Ers ein gwyliau ni yn Sbaen?"

Roedd hynny dair blynedd yn ôl, ac roedd o'n teimlo fel bywyd arall.

"Oes, ond…" Ysgydwodd Mam ei phen.

"Be?"

"Wel… mi faswn i'n licio gwybod pam ei fod o'n holi, dyna i gyd," meddai Mam. "Falla'i fod o'n meddwl mynd â ti i rywle yn ystod gwyliau'r haf. Ond mi liciwn i gael gwybod dyddiadau a ballu. Mi fydd hi'n wyliau cyn bo hir!"

Atebais neges Dad gyda,

Oes, mae gen i basbort. Pam?

Ond chefais i ddim ateb.

Ro'n i newydd gamu allan o'r gawod cyn mynd i'r gwely pan glywais Mam yn siarad ar y ffôn i lawr y grisiau. Sefais yn stond a chlustfeinio. Doedd ei llais hi ddim yn swnio fel petai ar y ffôn efo Nain neu Anti Sioned.

"Y cyfan dwi'n ei ddweud ydi fod rhaid i chdi drafod efo fi, a threfnu pethau'n iawn. Paid â chodi ei obeithion o eto, ocê? Dydi o ddim yn deg. Fi sy'n gorfod delio efo'r siom pan ti'n mynd yn *bored* ar fod yn dad."

A-ha! Dad oedd yna felly. Mae'n rhaid ei bod hi wedi ei ffonio'n syth ar ôl i mi fynd i'r gawod. Efallai ei bod hi'n poeni.

Mi fyddwn i wedi licio clywed beth oedd Dad yn ei ddweud wrthi.

"Iawn. Wel, plis, jyst paid â gwneud dim cynlluniau mawr heb siarad efo fi gynta. Isio dy weld di mae Marc, dim hen ffŷs mawr."

Troediais yn dawel i fy llofft wedyn. Doeddwn i ddim angen clywed mwy. Eisteddais i lawr ar fy ngwely, a syllu ar y poster mawr o Joe Allen ar gefn drws fy llofft. Wyddwn i ddim a oeddwn i'n cytuno efo'r hyn ddywedodd Mam wrth Dad. Byddwn i *wedi* licio ffŷs mawr, a dweud y gwir. Pam nad oedd unrhyw un wedi gofyn i mi beth oeddwn i eisiau?

Ond dyna ni, doedd gen i ddim syniad, bryd hynny, pa mor fawr oedd y ffŷs roedd Dad wedi ei drefnu ar ein cyfer ni.

3

R O'N I'N GWYBOD fy mod i mewn trafferth.
Gan ei bod hi'n tynnu am ddiwedd tymor
yr haf, roedd hi'n amser adroddiadau ysgol, ac ar y
dydd Llun canlynol, rhoddodd ein hathro dosbarth
amlen fawr frown yr un i ni.

"Cofiwch, eich rhieni sy biau'r adroddiadau
yma, felly dydych chi ddim i fod i'w hagor nhw.
Dwi'n ei feddwl o!"

Agorodd Cian a finnau ein hadroddiadau ar
y ffordd adref o'r ysgol, wrth gwrs. Yn gyntaf,
darllen un ein hunain, ac yna ffeirio'r ddau i ni
gael cymharu.

"Swot!" meddai Cian wrth ddarllen f'un i.

Ond doedd o ddim yn nabod Mam fel roeddwn
i. Byddai hi wedi mynd yn flin ofnadwy taswn i
wedi cael adroddiad fel un Cian, oedd yn dweud
pethau fel 'rhy siaradus, agwedd negyddol at Ffiseg',
a 'Mae Cian yn ddiog yn y dosbarth ac mae ei
waith cartref yn aml yn hwyr, ac weithiau'n cael ei
anghofio'n gyfan gwbl'. Doedd Cian ddim yn poeni

rhyw lawer. Byddai'n cael ffrae fach bitw, a dyna fyddai ei diwedd hi.

"Ti 'di darllen yr un Ffrangeg?" gofynnais yn ddigalon. "Bydd Mam yn gwylltio'n gacwn."

Trodd Cian at y dudalen iawn, ac yna darllenodd yn uchel, gan ddynwared llais uchel, trwynol Madame Perrot, ein hathrawes biwis, ffroenuchel.

"Nid yw agwedd Marc tuag at y gwersi yn bositif nac yn ymroddgar," meddai, gan dynnu gwyneb oedd yn ddychrynllyd o debyg i Madame Perrot. *"Nid oes ganddo ddiddordeb mewn dysgu iaith newydd, ac mae ei waith yn frysiog ac yn flêr.* Dydi o ddim cynddrwg â hynny, Marc. Mae hi wedi 'nisgrifio i fel *Diogyn sy'n edrych fel petai'n well ganddo fod yn unrhyw le heblaw fy nosbarth i.* Wel, mae hi'n gywir am hynny, o leia."

"Ond ti'n gwybod fel mae Mam. Mi fydd hi'n mynd dros ben llestri yn llwyr, ac yn gwneud rhywbeth gwirion bost fel trefnu gwersi Ffrangeg i mi gyda'r nos neu rywbeth."

"Ti isio dod draw i 'nhŷ i cyn mynd adref, 'ta? Mae Dad yn gweithio o adref heddiw. Roedd o'n dweud ei fod o am wneud myffins siocled…"

Roedd tŷ Cian yn llawn o arogl cacennau, a'i dad yn sefyll uwchben y sinc yn golchi'r llestri.

Byddai o'n 'gweithio o adref' yn eithaf aml, ond ychydig iawn o weithio fyddwn i'n ei weld o'n ei wneud – mwy o goginio a phobi a phethau felly na gweithio.

Eisteddodd Cian a finnau yn y gegin wrth i'w dad ddarllen drwy ei adroddiad. Roeddwn i'n hanner ofni y byddai'n gwylltio'n llwyr efo Cian – doeddwn i ddim am weld hynny – ond ysgwyd ei ben wnaeth o.

"Dwyt ti ddim yn swnio'n hapus iawn yn yr ysgol, Cian," meddai ar ôl ychydig. "Mae'n swnio fel petai'r ysgol yn brofiad negyddol iawn i ti ar hyn o bryd."

Bu bron i mi â thagu ar fy myffin. Doedd tad Cian ddim yn flin *o gwbl*. Swniai fel petai o'n meddwl mai'r ysgol oedd ar fai, nid Cian ei hun.

"Yndi, mae o," atebodd Cian. "Mae'n anodd gorfod gwrando ar athrawon yn malu awyr am bethau nad oes gen i unrhyw ddiddordeb ynddyn nhw."

Nodiodd tad Cian yn feddylgar. Fedrwn i ddim coelio'r peth. Byddai Mam wedi rhyfeddu i 'nghlywed i'n malu awyr mor ofnadwy.

"Wel," meddai tad Cian, gan sipian ei baned. "Mi ga i a Mam sgwrs heno, i drio dod o hyd i ffordd o wneud pethau'n haws i ti. Mae angen i ti fod yn hapus yn yr ysgol. Mae addysg i fod yn brofiad llawen."

Syllais arno'n gegagored. Roeddwn i wedi adnabod Cian a'i rieni erioed, ac roeddwn i'n gwybod eu bod nhw'n wahanol iawn i Mam. Ond roedd hyn yn boncyrs.

"Iawn, Marc?" gofynnodd tad Cian yn glên.

"Mae o'n poeni am gael ffrae gan ei fam, am ei fod o wedi cael adroddiad gwael yn Ffrangeg," atebodd Cian gyda'i geg yn llawn.

"O, trio gwneud ei gorau drostat ti mae dy fam, sti," meddai tad Cian gyda gwên.

"Dwi'n gwybod," cyfaddefais, er nad oedd hynny'n gwneud i mi deimlo'n llawer gwell am y peth. "Diolch am y gacen. Well i mi fynd. Waeth i mi wynebu Mam rŵan ddim."

Rhoddodd tad Cian ei law ar fy ysgwydd, a gwenu'n ffeind.

"Fydd hi ddim yn flin am byth, sti. Pob lwc i ti!"

Roedd angen lwc arna i. Er bod pob un athro arall wedi dweud 'mod i'n gweithio'n galed, yn gwneud yn dda, yn trio 'ngorau glas ac yn gwrtais bob tro, roedd Mam yn mynnu tynnu mwy o sylw at sylwadau Madame blincin Perrot.

"Ond mi ddylet ti fod yn dda mewn ieithoedd!" meddai Mam wrth iddi eistedd wrth fwrdd y gegin o flaen ei swper. Doedd hi ddim yn bwyta'i sbageti ond yn siarad am yr adroddiad, er ein bod ni wedi bod yn trafod y peth ers awr a mwy. Doedd gen i ddim byd mwy i'w ddweud. "Rwyt ti'n siarad Cymraeg a Saesneg ers oeddat ti'n ddim o beth. Mae'n hawdd i ti ddysgu mwy!"

"Dim Ffrangeg ydi'r broblem. Yr athrawes ydi'r drwg," atebais i'n bwdlyd.

"Be sy'n bod efo hi? Roedd hi'n ymddangos yn ddynes ffeind iawn yn y noson rieni. Chydig yn llym, falla, ond does 'na ddim byd o'i le efo hynny."

"Mae hi'n dweud y math yma o beth ar adroddiadau pawb, Mam. Mae hi'n licio'r pŵer, neu rywbeth."

"Twt lol! Pŵer! Na, mae'n ddrwg gen i, dwi ddim yn derbyn hynny. Bydd rhaid i ni wneud rhywbeth am hyn, Marc. Dydi o ddim yn ddigon da."

Gallwn deimlo fy hun yn gwylltio, a gwnes fy ngorau i beidio. Ond doedd o ddim yn deg!

"Mam, sbia ar be mae pawb arall wedi ei ddweud amdana i. Bob un athro ac athrawes arall! Dwi'n gweithio'n galed, yn gwrtais, yn glyfar…"

"Sy'n profi dy fod ti'n gallu ei wneud o os wyt ti wir yn trio," atebodd Mam yn syth. "Dwi'n falch iawn dy fod ti'n licio'r pynciau eraill, Marc, ond mae'n bwysig i ti drio dy orau ym mhob un dim."

"Ond fedra i ddim bod yn dda ym mhob un dim!" atebais, ac ro'n i'n swnio braidd yn flin erbyn hyn. "Dydi o ddim yn deg dy fod ti'n disgwyl i mi fod yn anhygoel ym mhob pwnc."

"Dydw i ddim…"

"A dydw i ddim yn bwriadu dewis Ffrangeg ym Mlwyddyn 9 beth bynnag, felly be ydi'r ots os nad ydw i'n dda iawn?"

Plethodd Mam ei breichiau, a syllu arna i gyda wyneb caled.

"Achos, Marc, mae o'n dweud cyfrolau am dy agwedd di os nad wyt ti hyd yn oed yn trio."

Ochneidiais yn uchel. Roedd hyn yn hollol annheg.

"Mae hyn yn mynd i newid," meddai Mam yn benderfynol. "Dwi am i ti lawrlwytho ap Ffrangeg ar dy ffôn, a dwi'n disgwyl i ti dreulio hanner awr arno fo bob nos. Hanner awr o leia."

"Ond mae hynny'n boncyrs!"

"Dwi am i ti siomi Madame Perrot ar yr ochr orau. Mi drefna i 'mod i'n mynd i'w gweld hi yn ystod wythnos ola'r tymor, i weld ydi dy Ffrangeg di – a dy agwedd di – wedi gwella."

"Ond dim ond chydig o wythnosau sy ar ôl! Dydi hynny'n rhoi dim amser o gwbl i mi!"

"Os wyt ti'n gwella, grêt. Ond os ddim…"

Bu tawelwch am ychydig. Ceisiai Mam feddwl am y peth fyddwn i'n ei gasáu fwyaf.

"Os ddim, bydd rhaid i ni dorri 'nôl ar y pêl-droed."

Codais ar fy nhraed, a syrthiodd fy nghadair yn glep ar lawr y gegin. Doeddwn i ddim wedi gorffen fy swper, ond doedd dim ots gen i am hynny. Roedd rhaid i mi adael cyn i mi sgrechian.

Taranais i fyny'r grisiau i fy llofft, a throi'r teledu ymlaen yn y gornel. Chwiliais ar y we am *Top Ten Penalty Shootouts*, a gorweddais ar fy ngwely i wylio'r fideo.

Doedd bywyd ddim yn deg.

Er bod Mam a finnau'n gwneud yn iawn y rhan fwyaf o'r amser, doedd dim amheuaeth 'mod i'n teimlo'n ofnadwy ar hyn o bryd, a hynny am ddim rheswm go iawn. Roedd hi'n wir fod Madame

Perrot yn rhoi adroddiad ofnadwy i bawb, fel bod rhaid iddyn nhw drio'n galetach y tro nesaf. Yr hen jadan iddi!

Meddyliais am beth oedd Miss Webb, yr athrawes Saesneg, wedi'i sgwennu amdana i: *Mae Marc yn fachgen peniog sy'n rhoi cant y cant i'w waith o hyd. Mae'n bleser cael ei ddysgu.* Doedd Mam prin wedi edrych ar hynny, dim ond wedi chwilio am yr un darn negyddol yn yr adroddiad cyfan.

Fyddwn i byth yn ddigon da.

Roedd Cymru'n chwarae Rwsia y noson honno, ac er bod 'na hen awyrgylch digon hyll yn ein tŷ ni'n dal i fod, eisteddodd Mam a finnau efo'n gilydd ar y soffa i wylio. Roedd hi'n teimlo'n ddrwg, dwi'n meddwl, achos fe wnaeth hi siocled poeth i mi, a phlannu sws ar fy mhen cyn eistedd i lawr.

Roedd y tîm yn canu 'Hen Wlad fy Nhadau' pan ganodd fy ffôn bach. Neges arall.

"Dad eto," dywedais wrth Mam, gan ddisgwyl neges am y gêm. A dyna oedd o, mewn ffordd, dim ond ei fod o'n gymaint mwy na hynny hefyd.

Rhewais wrth ddarllen y geiriau, a theimlo

pinnau bach yn fy mysedd ac i lawr fy asgwrn cefn. Fedr hyn ddim bod yn wir. Ond dyna fo, mewn du a gwyn.

"Ti'n ocê, Marc?" gofynnodd Mam, a dwi'n meddwl iddi ddechrau poeni pan welodd 'mod i'n syllu'n gegrwth ar y sgrin fach. "Ydi popeth yn iawn? Ydi Dad yn iawn?"

Pasiais y ffôn draw ati mewn breuddwyd, a gweld ei hwyneb yn newid yn llwyr, ei llygaid a'i cheg yn agor led y pen.

"Ond…" Methodd â gorffen ei brawddeg.

Cymru v. Rwsia. Marc, os 'dan ni'n ennill y gêm yma, dwi'n mynd â chdi i Ffrainc i wylio Cymru.

4

R OEDD HI FEL petai tîm Cymru'n gwybod.
Yn gwybod am gynnig Dad i fynd â fi i
Ffrainc os oedden ni'n curo Rwsia, ac yn gwybod
'mod i'n torri 'mol yn fwy na dim byd arall yn y
byd i gyd yn grwn i gael mynd yna i weld fy arwyr
yn chwarae. Fe chwaraeodd y tîm fel petai 'na
dân gwyllt yn eu boliau nhw. Roedd Mam yn trio
dweud pethau i ddal fy nghyffro i'n ôl.

Gôl rhif un. Aaron Ramsey. 11 munud.

"Marc, paid â chodi dy obeithion. Mae'n siŵr
fod Dad mewn rhyw dafarn yn rhywle, heb feddwl
y peth drwyddo'n iawn. Ti'n gwybod fel mae o."

Gôl rhif dau. Neil Taylor. 20 munud.

"Yn un peth, dwi ddim yn meddwl fod ganddo
fo syniad faint o waith trefnu sydd 'na... Dydi
rhywun ddim jyst yn gallu mynd i Ffrainc fel'na,
sti, mae o'n cymryd misoedd i gynllunio..."

Gôl rhif tri. Gareth Bale. 67 munud.

"Plis paid â chodi dy obeithion, Marc. Hyd yn
oed tasa Dad o ddifri, fedri di ddim jyst mynd ar

a pêl-droed yng nghanol tymor ysgol fel hyn. ...y plis..."

Pan ganodd y chwiban olaf, roedd y bobl ar y sgrin yn crio gan lawenydd, a fedrwn i ddim helpu'r peth. Roeddwn innau'n crio hefyd.

"O, Marc," meddai Mam yn dawel. Symudodd yn agosach ata i ar y soffa. "Plis paid â choelio dy dad eto. Mae o'n gwneud hyn bob tro a dydi o ddim yn deg. Dy adael di i lawr o hyd fel'ma."

"Dwi ddim yn crio achos 'mod i'n mynd i Ffrainc efo Dad," atebais yn sigledig. "Dwi'n crio achos ein bod ni drwodd i'r rownd *knockout,* ac am fod Cymru'n gwneud yn well nag oedd unrhyw un wedi disgwyl, ac achos bod gen i obaith ein bod ni'n mynd i wneud yn ocê yn y twrnament yma."

Pingiodd fy ffôn eto. Dad.

YESSSSS! Dwed wrth Mam bydda i draw pnawn fory i wneud trefniadau.

Dangosais y ffôn bach i Mam, a darllenodd hi'r neges gan lyncu a llyncu a llyncu.

"Dwi yn mynd i Ffrainc, Mam."

Ac yna llamais i fyny'r grisiau i fy llofft, er mwyn cael gwylio goliau'r noson eto.

Ffrainc! Fedrwn i ddim coelio'r peth. Dim ond unwaith roeddwn i wedi bod dramor o'r blaen, ac roedd hynny flynyddoedd yn ôl. Roedd y rhan fwyaf o bobl fy oed i wedi bod i sawl gwlad. Byddai Cian a'i rieni yn mynd bob blwyddyn, ac o'r diwedd, roedd fy nhro i wedi dod. I Ffrainc! I weld Cymru'n chwarae! Byddai pob un o fy ffrindiau yn llawn cenfigen.

Gwenais ar y poster o Joc Allen ar gefn fy nrws. Gwenodd yntau'n ôl.

Dwi'n gwybod bod Mam wedi hanner disgwyl na fyddai Dad yn ymddangos y prynhawn wedyn, fel roedd o wedi gaddo gwneud. Mae'n rhaid i mi gyfaddef 'mod innau wedi bod ar bigau'r drain drwy'r dydd yn yr ysgol, gymaint felly nes i Mr Jones Hanes ofyn yr un cwestiwn i mi dair gwaith cyn i mi sylweddoli ei fod o'n siarad efo fi. Ar ddiwedd y dydd, rhuthrais adref, mor gyflym nes i Cian weiddi arna i am wneud iddo frysio a mynd yn fyr ei wynt.

"Dwi isio bod yna pan mae Dad yn cyrraedd!" dywedais yn ddiamynedd.

"Dydi o ddim yn mynd i fod yna eto, siŵr iawn."

Doeddwn i ddim wedi dweud wrth weddill yr hogiau 'mod i a Dad yn mynd i Ffrainc. Dim ond Cian oedd yn gwybod. Er nad oeddwn i'n fodlon cyfaddef i unrhyw un, hyd yn oed i mi fy hun, roedd arna i fymryn bach o ofn fod Mam yn iawn. Beth os mai dim ond dweud oedd Dad? Roedd o'n cael rhyw syniadau mawr weithiau…

Roedd yr awyrgylch yn rhyfedd iawn yn ein tŷ ni'r prynhawn hwnnw. Roedd Mam yn trio bod yn normal, ond roedd hi wedi bod yn tacluso o gwmpas y tŷ. Roedd hi'n edrych yn smart hefyd, yn gwisgo trowsus du a blows flodeuog, ac wedi gadael ei gwallt yn rhydd yn lle ei roi i fyny fel cynffon fel y byddai'n gwneud fel arfer.

"Ti'n edrych yn neis," meddwn wrth iddi osod y bwrdd ar gyfer amser te.

Nodiodd Mam gyda gwên fach. Roedd pethau'n dal ychydig yn chwithig rhyngon ni ar ôl ffrae neithiwr.

Daeth y gnoc ar y drws wrth i ni eistedd i lawr i gael ein swper. Edrychodd Mam a finnau ar ein gilydd am ychydig, y ddau ohonon ni'n synnu ei fod o wedi dod o gwbl. Ac yna, neidiais ar fy nhraed, a rhuthro at y drws ffrynt i gael gweld Dad am y tro cyntaf ers misoedd.

Wna i byth anghofio ei weld o'r noson honno. Roedd o wedi troi ei gefn at y drws, ei ddwylo yn ei bocedi, ac roedd yr haul yn gynnes ar ei grys Cymru coch. Yn araf, dyma fo'n troi, a gwenu arna i…

Joe Allen.

Ond na, nid Joe Allen chwaith. Dad oedd o. Ond roedd o'r un ffunud â'r pêl-droediwr. Efallai ei fod o wedi edrych yn debyg o'r blaen, ond roedd o fel gefaill iddo bellach. Gwallt ychydig yn hir, a barf fach gochlyd, a gwên oedd yn gwneud i'w lygaid grychu yn y corneli. A'r crys Cymru ar ben bob dim!

"Marc bach fi!" meddai Dad gan wenu'n gynnes. "Dim mor fach erbyn hyn. Sbia tal wyt ti!"

Rhoddodd ei freichiau amdana i a 'nal i'n dynn, dynn. Roedd o'n arogli fel *aftershave* drud ofnadwy.

"Dad, ti mor debyg i Joe Allen!"

Chwarddodd Dad, a gollwng ei afael arna i. "Mae pawb yn dweud hynna. Dwi 'di arwyddo cannoedd o lofnodion ar ei ran o, mae'n rhaid i mi gyfaddef."

"Y gwallt! A'r barf!"

Fedrwn i ddim peidio syllu arno fo.

"Ia, wel, mae'n amser da i edrych fel aelod o dîm Cymru, dydi?"

Daeth Dad i mewn i'r gegin, lle roedd Mam yn dal i eistedd wrth y bwrdd, er nad oedd hi'n bwyta'r bwyd oedd o'i blaen.

"Haia, Donna."

Edrychodd Mam i fyny, a rhegi'n uchel wrth weld Dad. Wna i ddim sgwennu beth ddywedodd hi, ond mi fyddwn i wedi cael ffrae go fawr am ei ddweud o.

Chwarddodd Dad eto. "Dydi hynny'n fawr o groeso!"

"Sori! Ond ti'n… ti'n *union* fel Joe Allen!"

"Mae'n amser da i edrych fel aelod o dîm Cymru, dydi?" atebodd Dad, yn union fel roedd o wedi dweud wrtha i ychydig eiliadau ynghynt. Mae'n siŵr ei fod o'n cael y sgwrs yma o hyd. Roedd o wedi hen arfer.

"Ti wedi gwneud dy wallt a dy farf yn union yr un fath â fo a phob dim," meddai Mam wedyn. Dwi'n meddwl ei bod hi wedi cael sioc, braidd.

"Mae'n rhaid ein bod ni'n rhannu'r un chwaeth – Joey a fi," atebodd Dad gan eistedd i lawr. "A

dweud y gwir, dyna mae pawb yn fy ngalw i rŵan
– Joey. Hyd yn oed hogiau'r gwaith. Joey fydda i o
hyn ymlaen, dwi'n meddwl!"

Nodiodd Mam yn fud.

Kevin oedd enw Dad.

Mynnodd Mam roi swper i Dad, a doedd dim
sôn am ein trip ni i Ffrainc nes bod y salad wedi ei
fwyta a'r llestri wedi eu golchi a Mam a Dad wedi
cael paned yr un. Siaradodd Dad am ei waith, am ei
ffrindiau, am yr hyn roedd o'n ei wylio ar y teledu.
Gofynnodd i Mam am ei gwaith, ac i fi am yr ysgol
ac am bêl-droed.

"Mae 'na ymarfer heno," meddwn yn bwyllog.
"Gei di ddod efo fi os lici di, Dad."

"Grêt!" atebodd Dad, ac roedd o'n edrych yn
wirioneddol hapus. "I fi gael gweld sut mae'r ail
Marc Huws yn dod yn ei flaen, ynde! Hei, falla
bydd tîm Cymru'n dy alw di i chwarae pan 'dan ni
yn Ffrainc!"

Gosododd Mam ei phaned i lawr, a syllu ar Dad
dros y bwrdd. "Ti o ddifri am fynd â fo, 'ta?"

"Wrth gwrs!" Gwenodd Dad yn llydan, a rhedodd
ei fysedd drwy ei wallt hir. "Mae o'n gyfle rhy dda
i'w golli. Bydd pobl yn cofio hyn am byth."

"Wyt ti wedi bwcio'r awyren? Ydach chi'n gadael

ar nos Wener?" gofynnodd Mam. "Mae'n siŵr bydd o'n eithaf hwyr yn dod adref ar nos Sul, yn bydd, ond tria wneud yn siŵr na fydd o'n rhy hwyr fel ei fod o'n gorfod colli diwrnod o ysgol…"

Ysgydwodd Dad ei ben a chwerthin rhyw ychydig. "Ar long 'dan ni'n mynd. Gadael fore Gwener, a mynd i'r gêm ym Mharis dydd Sadwrn. Wedyn gawn ni weld sut eith pethau."

O diar. Mae'n rhaid fod Dad wedi anghofio sut un oedd Mam pan oedd hi'n dod i drafod yr ysgol.

"Gweld sut eith pethau?" ailadroddodd Mam. "Be ma hynny fod i feddwl, Kevin?"

"Galwa fi'n Joey," meddai Dad, cyn ychwanegu, "Dydw i heb drefnu llong yn ôl. Gawn ni weld sut mae'r gêm ar ddydd Sadwrn yn mynd, a wedyn penderfynu pryd i ddod 'nôl i Gymru."

"Fedri di ddim jyst…" meddai Mam yn hollol anghrediniol. Doedd hi ddim yn siŵr sut i orffen y frawddeg hyd yn oed.

"Mae'n iawn, Donna," meddai Dad gan bwyso'n ôl yn ei gadair. "Mi wna i edrych ar ei ôl o. Mi fydd o'n dda iddo fo!"

"Plis esbonia i fi sut mae mynd i ffwrdd a cholli ysgol yn mynd i wneud lles o gwbl i'n mab ni," atebodd Mam yn flin. "I wylio gemau pêl-droed! Dwi ddim yn meddwl y medri di werthu'r trip yma i fi fel peth addysgiadol, Kevin!"

"Joey!" cywirodd Dad, a gallwn weld ei fod yntau'n dechrau colli amynedd bellach hefyd. "*Chill out*, Donna. Mae o'n hogyn da, ac mae o'n haeddu gwyliau. Mi fydd o'n brofiad iddo fo." Ysgydwodd ei ben. "Dwi *yn* dad iddo fo, wedi'r cyfan."

Roedd tawelwch hir a pheryglus. Rhywsut, teimlai'r awyrgylch fel petai wedi newid yn llwyr. Syllodd Dad a fi ar Mam, i weld beth oedd hi am ei ddweud nesaf. Ond wnaeth hi ddim dweud gair, dim ond syllu ar Dad, fel petai dim angen iddi ddweud dim.

Roedd rhaid i mi siarad yn y diwedd.

"Plis, Mam," dywedais yn dawel. "Mi wna i unrhyw beth ti isio. Plis gad i fi fynd!"

"Dos i fyny i dy lofft i newid i dy git pêl-droed," atebodd Mam, heb droi i edrych arna i. "Dwi a Dad angen cael gair."

Codais ar fy nhraed, yn siŵr mai dyna fyddai diwedd popeth. Ond cyn i mi gyrraedd drws y gegin, dywedais, "Yr unig beth oedd ddim yn berffaith yn fy adroddiad i oedd Ffrangeg, ynde?

Yr unig beth! A does 'na ddim gwell ffordd o wella fy Ffrangeg na mynd i Ffrainc!"

Cododd Dad ei aeliau ar Mam, ac ochneidiodd hithau.

Dad aeth â fi i'r sesiwn hyfforddi pêl-droed y noson honno. Am y tro cyntaf erioed i mi gofio, arhosodd Mam adref. Dwn i ddim yn union beth oedd hi a Dad wedi penderfynu, ond roedd gan Dad wên fawr ar ei wyneb.

Roedd pawb yn y sesiwn hyfforddi yn syllu wrth i ni gyrraedd. Pawb yn meddwl fod Dad fel Joe Allen yn union. Aeth un o'r plant bach ato i ofyn am ei lofnod, cyn i rywun arall ddweud, "Na, mae Joe Allen yn Ffrainc, siŵr!"

"Pwy 'di hwnna efo chdi?" gofynnodd Cai, un o'r hogiau yn y tîm, wrth i ni wneud ein ymarferion cynhesu.

"Dad," atebais yn falch.

"Mae o'n boncyrs o debyg i Joe Allen, dydi," meddai Cai.

Roedd o'n hŷn na fi, a doedd o ddim wedi siarad efo fi'n iawn o'r blaen.

"Yndi," atebais. "Mae o'n mynd â fi i Ffrainc i weld y gêm."

Stopiodd Cai yn stond. "Go iawn? Ti'n cael mynd?"

"Yndw."

Teimlwn ychydig bach yn ddrwg am ddweud hynny, a finnau ddim yn hollol sicr eto a oedd Mam yn mynd i gytuno.

"Wow! Ma hynna'n anhygoel."

Gwnes fy ngorau glas i chwarae mor dda ag y medrwn i'r noson honno o flaen Dad. Wrth gwrs, mae'n anodd chwarae dan bwysau fel yna, ond roeddwn i wir am iddo fo weld mor dda oeddwn i efo'r bêl. Ond doedd fawr o ots yn y diwedd beth bynnag, achos er 'mod i'n chwarae'n wael braidd, doedd Dad byth yn edrych draw ar y chwarae. Roedd o'n brysur yn siarad gyda'r rhieni eraill, yn chwerthin ac yn gwneud ffrindiau. Wrth gwrs, doedd dim ots gen i am hynny. Fe fethodd o'r ffaith 'mod i wedi methu cic o'r smotyn.

"Hei! Ti'n dod yn dy flaen yn dda!" meddai ar ôl i ni orffen.

Wn i ddim sut oedd o'n gwybod. Efallai ei fod o wedi gwylio mwy nag oeddwn i'n ei feddwl.

"Diolch."

Dechreuodd y ddau ohonon ni gerdded am adref. Cododd Dad ei law ar rai o'r rhieni eraill, wnaeth alw, "Hwyl, Joey!" a "Mwynhewch Ffrainc, y cythreuliaid lwcus!"

"Ydan ni'n mynd 'ta?" mentrais ofyn wrth i ni adael y cae. "I Ffrainc? Go iawn?"

"'Dan ni'n mynd," gwenodd Dad arna i. "Doedd Donna ddim yn hapus am y peth ynde. Ond mae'n bryd i ti a fi gael chydig o amser efo'n gilydd, ti ddim yn meddwl?"

Gwenais yn ôl ar Dad. Fedrwn i ddim credu'r peth. Roeddwn i, Marc Huws, yn cael mynd i Ffrainc i weld Cymru'n chwarae. Fedrwn i ddim disgwyl!

5

W NA I DDIM sgwennu gormod am adael
Bangor a Mam, achos dwi ddim yn licio
cofio'r teimlad trwm yna yn fy stumog wrth i mi
ddweud hwyl fawr wrthi hi, a finnau'n gwybod yn
iawn nad oedd hi am i mi fynd o gwbl. Wna i ddim
ond dweud 'mod i wedi diolch iddi, y bore hwnnw,
am adael i mi fynd, a dweud 'mod i'n mynd i
hiraethu amdani. Roeddwn i'n meddwl ar y pryd
'mod i'n dweud hynny achos 'mod i'n meddwl mai
dyna oedd hi am ei glywed, ond dwi'n gwybod
erbyn hyn ei fod o'n wir. Mam oedd wedi bod efo
fi erioed. Doedd gen i ddim profiad o fod hebddi.

Car bach coch oedd gan Dad, un bach sydyn efo
dim ond dwy sedd ynddo fo. Y math o gar roedd
pobl gyfoethog yn ei yrru. Doedd 'na ddim llawer
o le yn y gist i fy mac-pac i, ond doedd dim angen
llawer iawn arnon ni i fynd. Roedd Dad wedi prynu
dau grys Cymru i fi, a'r ddau'n dweud 'ALLEN' ar y
cefn, fel crys Joe Allen.

Roedd Dad a fi'n gadael Stryd y Popty wrth i

Cian gychwyn am yr ysgol fore Gwener. Er ei fod o'n casáu pêl-droed, roedd Cian yn cyfaddef ei fod o'n genfigennus iawn.

"Faswn i ddim isio mynd i weld y gêm, ond ew, mi fasa trip i Baris yn well na gorfod mynd i'r wers Maths pnawn 'ma!" meddai.

"Fedra i ddim aros," atebais.

"Wel, mwynha dy hun. Hei! Falla wna i wylio'r gêm, jyst i weld os fedra i dy weld di yn y dorf."

"Wnei di wir?" gofynnais yn syn.

"Na wnaf siŵr. Ond pob lwc!" Chwarddodd Cian.

Wrth i mi ddringo i mewn i'r car bach coch, daeth tad Cian allan o'i dŷ a rhoi bag papur bach yn fy llaw.

"Dwi wedi gwneud bisgedi i chi. Ar gyfer y trip. Mwynha dy hun, Marc. Dwi'n edrych ymlaen at glywed dy hanes di pan ddoi di'n ôl."

"Diolch!" Rhoddais y bag ar fy nglin.

Taniodd Dad injan y car, a rhuo i lawr ein stryd ni tuag at y lôn fawr. Roedd yr injan yn swnio fel awyren.

"Pwy 'di'r boi 'na?" gofynnodd Dad.

"Tad Cian. Mae o'n licio pobi."

Chwarddodd Dad yn dawel.

"Wiyrd," meddai.

Wyddwn i ddim beth oedd o'n ei feddwl oedd yn *wiyrd* am hynny, ac mae'n siŵr y dylwn i fod wedi dweud rhywbeth am ba mor glên oedd tad Cian efo fi, ond aros yn dawel wnes i. Pa ots am dad Cian, ac am ein stryd ni, a'r ysgol a Bangor a phob dim arall? Ro'n i'n mynd i Ffrainc i weld Cymru'n chwarae, a doedd dim ots am unrhyw beth arall.

Ydych chi wedi bod ar long erioed?

Doeddwn i ddim, ond roedd gen i syniad yn fy mhen am sut fyddai'n edrych y tu mewn i un. Rŵan 'mod i'n meddwl am y peth yn iawn, efallai fod fy syniad i o longau wedi bod ychydig yn blentynnaidd. Roeddwn i'n meddwl ein bod ni am fynd i Ffrainc mewn llong fawr bren efo dim llawer iawn ynddi hi. Felly, roedd hi'n dipyn o sioc cyrraedd y porthladd yn ne Lloegr a gweld y llong fwyaf a welais i erioed, a hithau'n wyn a dim pren yn agos ati. Gyrrodd Dad ei gar i mewn i'r llong – oedd ynddo'i hun yn syniad rhyfedd iawn i mi – ac wedyn, fe aeth y ddau ohonon ni i fyny'r grisiau llydan fel roedd yr arwyddion yn dweud.

"Wow!" Stopiais yn stond.

Roedd o'n debyg i ganolfan siopa enfawr, un grand efo carpedi a llefydd bwyta a hen ddigon o le i gannoedd o bobl. Miloedd, efallai.

Chwarddodd Dad. "Be oeddat ti'n ei ddisgwyl?"

"Dwn i'm. Dim byd, lot."

"Tyrd. Mi bryna i de bach i ni."

Dilynais Dad at fwyty mawr ar y llong, efo bar hir ar un ochr a lle bwyd ar yr ochr arall, a llwyth o fyrddau a chadeiriau yn y canol. Roedd hi wedi bod yn siwrnai hir a diflas o Fangor i lawr at y llong, a Dad a finnau heb ddweud rhyw lawer, dim ond gwrando ar y radio. Roedden ni wedi stopio tua amser cinio i gael byrgyr, ac roedden ni wedi bwyta pob un o fisgedi siocled tad Cian, ond roeddwn i'n barod am fwy o fwyd.

Prynodd Dad frechdan yr un i ni, a chan o bop i mi a pheint o gwrw iddo fo, ac eisteddodd y ddau ohonon ni wrth fwrdd bach yng nghanol yr ystafell enfawr. A dyna pryd sylwais i fod bron pawb o'n cwmpas ni mewn coch.

Roedden ni i gyd yn mynd i gefnogi Cymru.

Wrth i'r llong lenwi, cafodd Dad fwy a mwy o sylw. Gwaeddodd ambell un "Joe Allen!" ac roedd 'na rai eraill yn cael tynnu eu lluniau efo Dad, fel petai o'n seren go iawn. Erbyn i'r llong ddechrau symud, roedd 'na griw o ddynion swnllyd mewn crysau Cymru wedi dod i eistedd efo ni, ac roedden nhw'n siarad ac yn chwerthin efo Dad, ond prin yn cymryd sylw ohona i.

Roedd 'na bobl ym mhob man, ac waeth i mi ddweud y gwir – roeddwn i'n teimlo braidd yn ansicr.

Dechreuais feddwl am bêl-droed er mwyn gwneud i mi fy hun deimlo'n well. Yn gyntaf, ceisiais gofio goliau gorau Kenny Dalglish i Lerpwl, y rhai roeddwn i wedi eu gwylio ar y we. Ac wedyn, am fod bob yn ail berson yn siarad am Joe Allen, meddyliais amdano fo, a'r pethau roeddwn i'n eu gwybod amdano fo. Ei fod o'n gallu siarad Cymraeg. A'i fod o'n ffeind ac yn licio tynnu coes yr hogiau eraill yn y tîm. A'r ffaith ei fod o'n cadw ieir, yn rhyfedd iawn.

Pan oeddwn i'n cau fy llygaid ac yn meddwl am Joe Allen, roeddwn i'n ei weld o ar y cae pêl-droed, yn gwenu. Roedd hynny'n gwneud i mi deimlo'n well, felly treuliais y rhan fwyaf o'r siwrnai ar y llong yn meddwl am hynny, ac yn trio anghofio'r ffaith 'mod i ar y ffordd i wlad estron gyda dyn doeddwn i prin yn ei adnabod. Agorais fy llygaid a syllu ar Dad, oedd yn gwenu ar gamera ffôn rhyw genod, ond doedd ei wên o ddim yn debyg i wên Joey. Dim i fi, beth bynnag.

Roedd Ffrainc yn anhygoel.

Dwi ddim yn siŵr iawn sut i esbonio'r teimlad o fod mewn gwlad arall. Os nad ydych chi wedi bod erioed, mae'n anodd dweud yn union beth ydi'r gwahaniaeth. Mae popeth yn teimlo braidd yn wahanol ac yn chwithig, ond mewn ffordd dda.

Roedd Dad wedi gwneud llwyth o ffrindiau newydd ar y llong, felly chawson ni ddim llawer o amser i sgwrsio. Ond roedd pethau'n wahanol unwaith i ni fynd yn ôl i'r car a gyrru o'r llong i dir Ffrainc. Doedd pethau ddim yn teimlo'n wahanol iawn i Loegr i ddechrau – llawer o dir fflat, a'r ceir yn gorfod ciwio i adael y porthladd. Ond unwaith i ni gyrraedd y lôn a dechrau teithio tuag at Baris, roedd pethau'n wahanol iawn.

Ro'n i wedi anghofio bod y rhan fwyaf o'r byd yn gyrru ar ochr arall y lôn i ni yng Nghymru. Peth od iawn oedd hynny, a bob hyn a hyn, byddwn i'n cael teimlad ofnadwy o banig ein bod ni ar yr ochr anghywir, achos 'mod i wedi arfer bod mewn ceir oedd yn cadw ar y chwith. Ond roedd yr arwyddion yn wahanol hefyd, a cheisiais ddyfalu beth roedden nhw'n golygu.

"Dwi ddim yn dda iawn yn Ffrangeg yn 'rysgol," meddwn wrth Dad, oedd wedi diffodd y radio.

"Roedd Mam yn sôn," atebodd yntau, ond doedd o ddim yn swnio fel petai o'n poeni rhyw lawer am y peth.

"Dwi ddim yn licio'r athrawes. Madame Perrot. Mae hi'n dysgu hen lol i ni, os ti'n gofyn i fi."

Chwarddodd Dad wedyn, a gwenais innau, yn falch fy mod i'n gallu gwneud iddo fo chwerthin fel'na.

"Fel be?"

"Pethau fel dweud pa liw gwallt a llygaid sy ganddon ni a ballu. Ond dydi hynna fawr o iws i mi yn fama, nac ydi? Mi fydd pawb yn gallu gweld fy ngwallt i a fy llygaid i!"

"Mae gen ti bwynt," atebodd Dad gyda gwên. Roedd o mewn tymer dda o feddwl ei fod o wedi bod yn gyrru ers amser maith.

Roedd hi'n nos erbyn i ni gyrraedd Paris, ac roedd y traffig yn brysur ofnadwy. Wyddwn i ddim ai fel'ma roedd pobl yn gyrru yn y dinasoedd i gyd, ond roedd pawb yn gyrru'n gyflym ac yn agos iawn at ei gilydd. Ac roedd 'na lawer o ganu corn hefyd!

"Falla bydda i'n gweld Tŵr Eiffel," dywedais wrth Dad, wrth chwilio rhwng yr adeiladau tal.

"Fory. Mae'n gwesty ni ar gyrion y ddinas, ti'n gweld. Dyma ni! I lawr fan hyn."

Roedd o'n westy eithaf newydd yr olwg ar gornel stryd, un o'r adeiladau mawr tal yna sydd mewn dinasoedd, efo sawl llawr. Parciodd Dad yn y maes parcio, ac ochneidio'n uchel.

"Wel, Marc. Wyt ti am roi dy droed ar dir Ffrainc am y tro cyntaf, 'ta?"

Agorais ddrws y car a chamu allan ar y tarmac. Roedd sŵn traffig o 'nghwmpas ym mhob man, a'r stryd yn hir ac yn llydan. Er ei bod hi'n hwyr, roedd pob man yn agored – y siopau a'r caffis bach. Gallwn glywed cerddoriaeth yn dod o rywle. Edrychais i fyny, a gweld ffenestri agored y fflatiau uwchben y siopau.

Roedd yr arogl yn wahanol hefyd. Arogl melys, hyfryd, ond ychydig bach yn hallt. Doedd o ddim yn gryf, a dwi ddim yn meddwl i mi sylwi arno'n syth bìn, ond roedd o yna.

"Be ti'n feddwl?" gofynnodd Dad.

"Mae o'n grêt," atebais gyda gwên, ac roeddwn i'n ei feddwl o hefyd.

Roedd Dad wedi blino'n lân, ac felly ar ôl cael bowlen o jips o'r caffi bach yn y gwesty, aeth y ddau ohonon ni i'r ystafell wely. Roedd dau wely sengl yna, ac roeddwn i'n cael yr un dan y ffenest.

Rhaid i mi gyfaddef, roedd hi braidd yn chwithig bod efo Dad fel hyn.

Pethau bach, fel mynd i'r ystafell molchi i newid i 'mhyjamas, a phwy oedd yn cael dewis beth oedd ymlaen ar y teledu. Fyddwn i ddim wedi meddwl am y pethau yna efo Mam, am 'mod i wedi hen arfer efo hi. Ond roedd Dad yn wahanol.

Syrthiodd Dad i gysgu bron yn syth wrth i ni wylio'r teledu yn ein gwlâu. Fedrwn i ddim deall dim ohono, am ei fod o'n Ffrangeg. Efallai fod gan Madame Perrot bwynt. Ro'n i'n difaru ychydig 'mod i wedi diogi ryw fymryn yn y gwersi Ffrangeg.

Estynnais i fy mag am fy ffôn. Roedd Mam wedi anfon neges.

XXX

Teipiais neges yn ôl iddi.

Yn y gwesty. Popeth yn iawn. Edrych mlaen at fory. X

Mae'n rhaid fod Mam wedi bod yn aros am fy
ateb i, achos fe ges i neges arall yn syth yn ôl.

Da iawn! Mwynhewch y gêm. Mi fydda i'n gwylio ac
yn chwilio amdanat ti xxxx

Atebais gyda llun bach o wyneb hapus, cyn
diffodd fy ffôn a diffodd y teledu. Gwell i mi drio
cael cwsg. Byddai fory yn ddiwrnod mawr. Paris! A
Bale, a Joe Allen, wrth gwrs. Mam bach, gobeithio
bydd Cymru'n ennill. Fyddai hi ddim yn hawdd yn
erbyn Gogledd Iwerddon.

Gorweddais yn ôl yn fy ngwely, yn gwrando ar
yr holl synau bychain o 'nghwmpas. Anadl Dad, yn
drwm ac yn rhythmig yn y gwely arall. Sŵn lleisiau
yn siarad Ffrangeg ar ryw gwis ar y teledu mewn
ystafell arall. Ceir yn gwibio y tu allan.

Fedrwn i ddim cysgu.

Codais o 'ngwely yn dawel a cherdded draw at y

ffenest. Roedden ni ar ail lawr y gwesty, felly gallwn weld popeth yn glir – y stryd efo'r caffis a'r siopau bychain, y maes parcio, a'r ddinas yn ymestyn yn bell. Roedd goleuadau oren, yr un fath â goleuadau adref, ond roedd popeth yn teimlo'n wahanol.

Gallwn weld i mewn i'r fflatiau oedd uwchben y siopau ar ochr arall y stryd. Roedd y rhan fwyaf yn dywyll neu â'u llenni wedi cau, ond gallwn weld pobl mewn ambell un. Dynes ar gefn beic ymarfer corff, clustffonau mawrion ar ei phen. Hen ddyn mewn crys smart yn cymysgu rhywbeth mewn sosban mewn cegin fach lwm. Mam a mab yn eistedd ar soffa, yn gwylio ffilm.

A meddyliais am Mam.

Beth oedd hi'n ei wneud rŵan? Oedd ganddi hiraeth amdana i? Oedd hi'n eistedd yn ystafell fyw tŷ ni, yn gwylio'r teledu yn y tywyllwch ac yn teimlo'n unig?

Llithrais yn ôl i 'ngwely a chyrlio'n belen dan y cynfasau, ond roedd hi'n amser hir cyn i mi syrthio i gysgu.

6

MAE PARIS YN llawer rhy fawr i'w disgrifio yma.

Nid yn unig yn fawr, chwaith, ond yn llawn dop o bethau sy'n wahanol iawn i Fangor. Byddai'n cymryd cyfres o lyfrau i ddweud wrthych chi am yr holl bethau a welais i ym mhrifddinas Ffrainc, a fyddwn i ddim yn gallu ei ddisgrifio fo'n iawn hyd yn oed wedyn. Mae'n rhaid i chi fynd i le i wybod sut mae'n teimlo i fod yno.

Roeddwn i wedi edrych ymlaen at frecwast saim mawr y bore wedyn – cig moch a selsig ac wyau a ballu – ond doedd hynny ddim ar gael yn y gwesty. *Croissants* a ballu oedd yno, a phlatiau mawrion o gig a chaws a ffrwythau.

"Fel'ma maen nhw'n bwyta ar y cyfandir, sti," gwenodd Dad pan welodd o fy ngwyneb i. "Be am i ti drio un o'r *pains au chocolat* fan'na? Fatha *croissant*, ond efo siocled yn y canol."

Dwi'n falch iddo fo ddweud hynny, achos ar ôl trio un, penderfynais mai dyma oedd y brecwast gorau erioed, a ges i bedwar *pain au chocolat.*

Doedd Dad ddim eisiau trio gyrru i ganol Paris, felly arhosodd y ddau ohonon ni wrth yr arhosfan y tu allan i'r gwesty, a dal bws i ganol y ddinas. Meddyliais eto ei bod hi'n biti garw nad oeddwn i wedi dysgu sut i siarad Ffrangeg yn iawn, achos doedd gen i ddim syniad sut oedd gofyn i'r gyrrwr bws am docyn, a doedd Dad fawr gwell chwaith. Ond roedd gan y gyrrwr ychydig o Saesneg, felly dyma fo'n gofyn, "Two, Paris?" a dyma Dad yn nodio'n werthfawrogol a thalu.

Wrth i'r bws ymlwybro tuag at ganol y ddinas, roedd yr adeiladau'n mynd yn dalach ac yn fwy mawreddog. Ew, roedd o'n dlws! Llawer o dai main, uchel wedi eu gwneud o frics mawr lliw tywod, a ffenestri mawr glân. A'r caffis! Welais i 'rioed gymaint o gaffis yn fy mywyd, a phob un efo byrddau a chadeiriau bach ar y palmant y tu allan.

"Be ti'n feddwl, boi?" gofynnodd Dad, yn sylwi 'mod i'n syllu drwy ffenestri'r bws ar bob dim mewn tawelwch.

"Mae o'n dlws ofnadwy," atebais. "A welais i rioed gymaint o gefnogwyr pêl-droed!"

Roedd y peth yn anhygoel. Wrth i ni nesáu at ganol y ddinas, roedd 'na grysau lliwgar ym mhob man, a chriwiau enfawr o bobl wedi dod i'r hen ddinas hyfryd yma i gefnogi eu timau.

"Wyt ti'n nabod y crysau i gyd?" gofynnodd Dad.

Erbyn i ni gyrraedd ein stop ni yng nghanol y ddinas, roedden ni wedi gweld crysau o lwythi o wahanol wledydd – Portiwgal, Hwngari, yr Almaen, Lloegr... a Chymru! Neidiodd Dad a finnau oddi ar y bws ar stryd oedd yn brysur ofnadwy, a môr o grysau cochion yn gorchuddio'r lle.

"Heeeeeeei! Joe Allen!" dywedodd rhywun yn syth, a gwenodd Dad.

Dyna ni wedyn. Roedd pawb eisiau ysgwyd ei law, neu gael tynnu eu llun efo fo. Roedd o fel bod efo rhywun enwog. Dwi'n meddwl bod rhai pobl wedi meddwl mai Joe Allen oedd o go iawn, oedd yn wirion bost, achos roedd y Joe Allen go iawn yn brysur yn paratoi ar gyfer un o gemau pwysicaf ei fywyd ar ddiwedd y prynhawn. Mae pobl yn gallu bod yn dwp weithiau.

Gwibiodd y diwrnod heibio mewn dim o dro. Roeddwn i wrth fy modd ynghanol yr holl bobl. Tecstiodd Dad ei ffrindiau, ac fe drefnon ni i'w cyfarfod nhw mewn caffi ar ganol stryd lydan oedd yn ddim byd ond caffis. Doedd 'na ddim plant eraill yna, dim ond ffrindiau Dad o'r gwaith, ond roedd pawb yn garedig. Doeddwn i ddim wedi cyfarfod neb oedd yna o'r blaen, ac roeddwn i braidd yn swil. Eisteddais yn yfed pop wrth i Dad a'i ffrindiau siarad a chael ambell beint. Doeddwn i ddim yn teimlo'n unig. Roedd hi'n braf i mi fedru gwylio pobl, a chlywed pobl yn siarad Ffrangeg go iawn, dim mewn ystafell ddosbarth fel Madame Perrot. Roedd o'n swnio'n hyfryd o gael ei siarad fel yna, er nad oeddwn i'n deall ond ambell air.

Cyn pen dim, roedd hi'n amser i ni gerdded draw at y stadiwm. Ac wyddoch chi be? Roedd hyd yn oed hynny, cerdded o ganol y ddinas i'r stadiwm efo Dad a'i fêts, yn brofiad anhygoel. Roedd *pawb* o'n cwmpas ni yn Gymry! *Pawb* yn gwisgo crysau coch! Yn martsio efo'n gilydd, pawb yn sgwrsio ac yn chwerthin. Roedd 'na lawer o Gymraeg hefyd, ac roeddwn i'n gwenu ar bawb roeddwn i'n eu clywed yn siarad Cymraeg, a gwenodd pob un yn ôl arna i. Daeth criw o hen ddynion at Dad i gael tynnu eu lluniau, ac roedden nhw'n siarad Cymraeg fel y bobl ar *Pobol y Cwm*: "Ti'r un sbit â Joey Allen, 'chan, weles i 'riôd ddim byd tebyg!"

O'r diwedd, daeth y stadiwm i'r golwg. Roedd hi'n fawr ac yn disgleirio yn haul diwedd dydd, ac roedd y ffans i gyd yn eu lliwiau yn heidio yno. Gwyrdd oedd lliw Gogledd Iwerddon.

Fel arfer, pan fydda i'n mynd i weld gêm neu'n chwarae mewn gêm, hyd yn oed, mae 'na ryw hen ddrwgdeimlad rhyfedd rhwng y timau. Weithiau, mi fydd pobl yn ffraeo, neu'n cwffio, hyd yn oed. Y llynedd, roedd 'na gwffio ar ôl gêm ein tîm ni yn erbyn Glan Llugwy – eu hyfforddwr nhw yn erbyn un o dadau ein tîm ni – a'r cyfan wedi dechrau ar ôl rhyw anghytuno dros gamsefyll. Roeddwn i braidd yn nerfus am wynebu tîm Gogledd Iwerddon. Mae'n siŵr y byddai llawer o ffraeo, a hithau'n gêm mor bwysig.

Ond wyddoch chi be? Doedd o ddim fel yna o gwbl. Gwelais ffans mewn crysau gwyrddion yn chwerthin ac yn ysgwyd llaw efo'n ffans ni, a doedd neb o gwbl yn edrych yn flin neu'n anhapus. Roedd pawb mewn tymer dda. Pan oedden ni'n ciwio i fynd i mewn i'r stadiwm, clywais rywun mewn acen Gogledd Iwerddon yn dweud, "Good luck to you. May the best team win!"

Fedrwn i ddim coelio'r peth. Chlywais i 'rioed ddim byd fel yna'n cael ei ddweud o'r blaen, dim hyd yn oed mewn gêm fach amser egwyl yn yr ysgol!

Dwn i ddim os ydych chi wedi bod i stadiwm fawr erioed, ond mae'n anodd disgrifio'r teimlad o gerdded i mewn, ar ôl dangos eich tocyn a dringo'r grisiau a chamu allan i'r stadiwm ei hun. Does 'na ddim byd tebyg i'r teimlad yna yn y byd i gyd. Mae o fel petai rhywbeth mawr a phwerus a hyfryd yn chwyddo yn eich bol chi, tan ei fod o'n cyrraedd bodiau eich traed a phennau eich bysedd ac, wrth gwrs, eich calon. Dwi'n meddwl mai dyna fy hoff deimlad yn y byd. Mae o bron yn ddigon i wneud i mi grio, a hynny am ddim rheswm.

Wnes i ddim crio wrth gerdded i mewn i'r stadiwm ym Mharis, ond roeddwn i bron â gwneud. Dwi ddim yn meddwl byddai Dad a'i ffrindiau wedi gwybod beth i'w wneud petawn i wedi crio.

Ar ôl i ni ddod o hyd i'n seddi, edrychais o 'nghwmpas a theimlo'n anhygoel. Roedd cannoedd o ddreigiau cochion, degau o bobl yn gwisgo hetiau cennin Pedr gwirion, criwiau o bobl yn canu 'Calon Lân'. Edrychais i fyny ar Dad. Roedd ei wyneb yn disgleirio, fel petai golau arbennig yn sgleinio o'r tu mewn iddo. Edrychai mor debyg i Joe Allen, yn ei grys coch, ond pan edrychodd i lawr arna i, mi fedrwn i ddweud mai Dad oedd o, a neb arall.

"Be ti'n feddwl o hyn i gyd 'ta, boi?" gofynnodd dros y twrw.

"Mae o'n wych, Dad."

Gwenodd Dad, gan ddangos ei ddannedd i gyd, a rhoddodd ei fraich amdana i. Fedrwn i ddim cofio'r tro diwethaf iddo wneud hynny.

Rhedodd y tîm allan, a bloeddiodd pawb o 'nghwmpas i, a finnau hefyd. Dacw nhw! Y dynion ar y posteri yn fy llofft, yna o 'mlaen i! Gareth Bale, un o bêl-droedwyr gorau'r byd. Robson-Kanu, arwr newydd i bawb yng Nghymru, ac, wrth gwrs, Joey.

Yna, roedd hi'n amser canu'r anthem. Wnaeth neb ei chanu'n dawel ac yn ddiamynedd fel rydan ni'n canu emynau yn yr ysgol. Doeddwn i erioed wedi clywed canu fel hyn o'r blaen. Roedd pawb yn morio canu, fel petaen nhw'n golygu pob gair, ac roeddwn innau'n gwneud yr un fath. Erbyn 'O bydded i'r heniaith barhau' roedd dagrau'n powlio i lawr fy wyneb. Rhoddodd Dad ei fraich amdana i eto, a phan edrychais i fyny, roedd ei ruddiau yntau'n wlyb hefyd.

Roedd hi'n gêm dda, er, dwi'n meddwl y byddai unrhyw gêm wedi teimlo fel gêm dda o'r stadiwm yna ar y diwrnod yna, yng nghanol pobl fel fi. Roeddwn i bron yn siŵr, ar un pwynt, fod Gogledd Iwerddon yn mynd i ennill. Doedd dim sgôr ar hanner amser, a Dad a'i ffrindiau'n edrych yn bryderus.

"Be sy'n digwydd os 'dan ni'n ennill?" gofynnais wrth i ni aros i'r ail hanner ddechrau.

"'Dan ni'n mynd i'r *quarter-finals*," atebodd Dad. "Ond paid â meddwl am hynny, boi. Does 'na ddim sgôr ac mae'n bosib iawn na fyddan ni'n..."

"'Dan *ni'n* mynd?" torrais ar ei draws.

Daliodd Dad fy llygad, a rhoddodd wên fach.

"Ti a fi am aros efo Cymru tra maen nhw yn y twrnament yma, Marc," atebodd. "Ond paid â themtio ffawd..."

Gair rhyfedd ydi hwnna – ffawd. Mae o'n golygu rhywbeth sydd i fod i ddigwydd. Ac mae'n hawdd meddwl, ar ôl popeth, fod ffawd wedi bod ar ein hochr ni y diwrnod yna ym Mharis. Enillodd Cymru'r gêm, er na wnaethon ni sgorio.

Ar ôl 75 munud, rhywsut, cyn i unrhyw un wybod beth oedd yn digwydd, roedd ein hogiau ni'n mynd amdani, a chiciwyd y bêl i gefn y rhwyd. Roedd McAuley, un o chwaraewyr Gogledd Iwerddon, wedi sgorio *own goal* – a dyna oedd unig gôl y gêm.

Roedden ni wedi ennill!

Pan ganodd y chwiban olaf, aeth bloedd o lawenydd drwy ffans Cymru, a neidiais innau yn fy unfan, a gweiddi nerth esgyrn fy mhen. Roedden ni drwodd! Gareth a Neil a Joey a'r hogiau i gyd, a fi a Dad a'r holl ffans hefyd!

Cydiodd Dad yn dynn ynof fi, a dweud, "'Dan ni'n well nag oedden ni'n feddwl, sti, Marc!"

Hyd yn oed ar ôl colli mewn ffordd mor ofnadwy, roedd ffans Gogledd Iwerddon yn ffeind, er nad oedden nhw'n edrych yn hapus iawn. Cerddodd yr holl gefnogwyr yn ôl gyda'i gilydd i ganol Paris, ac mae'n rhaid i mi gyfaddef, teimlais yn reit ddrwg ar ôl gweld hogyn tua'r un oed â fi mewn crys gwyrdd yn crio'n dawel wrth gerdded efo'i dad.

"Wyt ti'n barod i fynd yn ôl i'r gwesty?" holodd Dad.

Nodiais. Roeddwn i wedi ymlâdd. Mae mynd drwy emosiynau fel'na yn blino rhywun yn ofnadwy. Dyn a ŵyr sut roedd y chwaraewyr yn teimlo.

Ar ôl ychydig o grwydro a chwilio ar ei ffôn,

daeth Dad o hyd i fws oedd yn gallu mynd â ni heibio'r gwesty. Cyn mynd i mewn, mynnodd ein bod ni'n mynd i un o'r caffis bach – dim ond byrgyr sydyn oeddwn i wedi ei gael ers amser brecwast. Eisteddodd y ddau ohonon ni mewn tawelwch blinedig ond hapus yn y caffi, a gwrando ar y miwsig jazz oedd yn dod o'r radio bach y tu ôl i'r bar. Rhannu pitsa wnaethon ni, ond doedd gen i fawr o eisiau bwyd. Ro'n i mor flinedig.

"Diolch, Dad," dywedais wedyn, wrth i mi lithro i 'ngwely heb frwsio 'nannedd na thynnu 'nillad.

"Am be, boi?"

"Am ddod â fi yma. Dwi mor falch ein bod ni wedi dod."

"Diolch i ti am ddod efo fi!"

Roedd 'na dawelwch wedyn, fel petai o wedi meddwl dweud rhywbeth arall, ond yn y diwedd, ddywedodd o ddim byd, a syrthiais i drwmgwsg hapus, hyfryd.

7

ROEDD PUM NIWRNOD i fynd tan y gêm nesaf. Pum niwrnod cyfan ym Mharis! Ffoniais Mam y bore ar ôl gêm Gogledd Iwerddon, yn gwybod na fyddai'n hapus fod hyn yn golygu 'mod i am golli o leiaf wythnos arall o ysgol. Roedd Dad wedi mynd i gael cawod.

"Gest ti amser da'r aur? Wyt ti'n bwyta'n iawn?"

Swniai Mam mor agos o feddwl ei bod hi mewn gwlad arall.

"Roedd o'n anhygoel, Mam! Dwi'n bwyta'n grêt. 'Dan ni newydd gael brecwast yn y gwesty."

"Ydi o'n lle braf?"

"Yndi. Braf iawn. Lle wyt ti?"

"Dwi yn y gegin rŵan, newydd wneud fy mhaned dydd Sul."

Dim ond ar ddyddiau Sul y byddai Mam yn gwneud coffi crand, mewn pot. Gallwn ei dychmygu'n eistedd wrth y bwrdd yn ei yfed yn araf, y radio ymlaen a'r papur dydd Sul dros y bwrdd.

"Mi wnes i wylio'r gêm, ond fedrwn i'm dy weld di, chwaith."

"Mae 'na lwythi o Gymry yma, sti, Mam."

"Felly o'n i'n gweld. Dwi mor falch ein bod ni wedi ennill."

Ac roedd hi'n swnio fel petai'n dweud y gwir, hefyd, er 'mod i'n siŵr fod 'na ran ohoni fyddai wedi hoffi gweld Gogledd Iwerddon yn ennill, fel 'mod i'n gallu mynd adref yn syth a bywyd yn cael mynd yn ôl i fel roedd o o'r blaen.

"Be dach chi am wneud tra dach chi'n aros am y gêm nesa?"

"Mae Dad yn dweud ei fod o am ddangos Paris i fi. Tŵr Eiffel a ballu. A wedyn gyrru i rywle o'r enw Villeneuve-d'Ascq i wylio'r gêm nesa."

"Wel! Mi fydd o fel gwyliau go iawn i ti 'ta. A ti'n dweud enw'r lle yna fel 'sat ti wedi dy eni'n Ffrancwr!"

Chwarddodd Mam a fi. Ro'n i'n falch ei bod hi'n swnio'n hapus. Dwi ddim yn meddwl ei bod hi'n poeni amdana i rhyw lawer, ac roedd hi fel petai wedi arfer efo'r syniad 'mod i am fod i ffwrdd o'r ysgol.

"Well i mi fynd, Mam. Mi wna i ddanfon lluniau i ti ar fy ffôn bach, iawn?"

"Ia, plis! A chymer ofal, iawn, Marc? Dwi'n methu aros i dy gael di adra, sti."

"Ond dim yn rhy fuan, Mam! Ar ôl i Gymru ennill yr Ewros."

Dim ond hanner jôc oedd hi, a chofiodd Mam ddweud 'pob lwc' cyn iddi ffarwelio, fel taswn i fy hun yn chwarae dros Gymru.

Wna i ddim dweud gormod am yr amser gefais i ym Mharis efo Dad rhwng y gemau. Mae 'na ormod i'w ddweud, ac mae darllen am wyliau pobl eraill yn ddiflas, fel edrych ar ffotograffau o wyliau rhywun. Felly wna i ddim dweud mwy na sydd angen – stori arall ydi honno.

Fe ges i weld Tŵr Eiffel, wrth gwrs, oedd ychydig yn siomedig, a chadeirlan Notre Dame, oedd yn llawer iawn gwell na'r disgwyl. Cefais ymweld â siopau bychain a marchnadoedd difyr, a blasu pob mathau o fwydydd na fyddwn i'n meddwl eu bwyta fel arfer, gan gynnwys malwod! Archebodd Dad lond plât ohonyn nhw mewn bwyty bach yng nghanol y ddinas, ac er nad oeddwn i wir eisiau eu blasu nhw, roedd Dad yn dweud ei bod hi'n bwysig trio popeth unwaith, ac y dylwn i feddwl am sut fyddai'r hogiau yn yr ysgol yn ymateb pan ddywedwn i 'mod i wedi bwyta malwoden. Felly rhoddais fy ffôn i Dad i fy ffilmio i'n llowcio un, ac yna anfon y fideo at Mam ac at Cian.

"Wyt ti'n licio fo?" gofynnodd Dad, er ei bod hi'n amlwg iawn o'r olwg ar fy ngwyneb 'mod i ddim.

"Mae o fel darn mawr o snot!" atebais, a chwarddodd Dad lond ei fol.

Ych a fi. Fyddwn i ddim yn bwyta 'run falwoden arall yn fy mywyd.

Bob prynhawn, roedden ni'n cyfarfod ffrindiau Dad, yn mynd i gaffi neu far ac yn cael bwyd. I ddweud y gwir, roeddwn i wedi fy niflasu braidd ar yr adegau hynny, ond doedd o ddim yn ofnadwy. Byddwn i'n chwarae gêm bêl-droed ar fy ffôn, ac yn anfon negeseuon at fy ffrindiau adref. Weithiau, byddai cefnogwyr Cymru'n dod draw i ddweud helô, y rhan fwyaf ohonyn nhw'n dod i gael llun efo Dad, neu 'Joe Allen'.

Un prynhawn, daeth criw mawr o Gymry i dreulio'r prynhawn efo ni, er nad oedden ni'n eu hadnabod nhw, ac roedd 'na ferch yr un oed â fi yn eu canol nhw. Ro'n i braidd yn swil, ond ar ôl ychydig, dechreuodd y ddau ohonon ni chwarae pêl-droed ar y stryd, ac roedd hynny'n hwyl.

Ro'n i'n hoffi Paris. Roedd hi'n brysur ond roedd y bobl yn glên, a'r adeiladau yn dlws. Roedd y siopau yn anhygoel, fel ym mhob dinas fawr. Treuliodd Dad a fi brynhawn cyfan yn crwydro o'u cwmpas, a phrynodd Dad bâr o'r trênyrs drutaf i mi eu cael erioed yn anrheg i mi.

Doedd y lle ddim yn berffaith, wrth gwrs, ac roedd rhai pethau am Baris nad oeddwn i'n eu hoffi o gwbl. Welais i erioed gymaint o bobl ddigartref, a rhai ohonyn nhw'n dal babis bach yn eu breichiau. Bryd hynny, byddwn i'n teimlo'n euog am beidio bod yn fwy diolchgar am yr holl bethau oedd gen i, ac am gerdded o gwmpas y ddinas mewn trênyrs oedd yn costio ffortiwn. Ro'n i'n gwneud fy ngorau i beidio syllu ar y bobl druan, ond roedd o'n anodd. Roedd 'na gymaint ohonyn nhw.

Digwyddodd rhywbeth ar y noson olaf ym Mharis – rhywbeth a wnaeth i mi deimlo'n anghysurus braidd. Aeth Dad a fi a chriw o'i ffrindiau i fwyty eithaf crand, pawb yn eu crysau Cymru a phawb yn barod am y daith i Villeneuve-d'Ascq y diwrnod wedyn. Roedd y bwyd yn wych. Fe ges i gyw iâr mewn saws hufen, a thatws wedi eu ffrio mewn menyn. Cafodd Dad stecen enfawr, a dyna gafodd ei ffrindiau hefyd.

"Mae o'n ddrud," rhesymodd Dad. "Ond 'dan ni angen llenwi ein boliau i roi egni i ni fory. Cofia mor flinedig oeddet ti ar ôl gêm Gogledd Iwerddon!"

Wrth gwrs, roedd pobl yn y bwyty yn dod aton ni drwy gydol y pryd bwyd i gael tynnu eu lluniau efo Dad, ac i ofyn am ei lofnod. Roedd o'n digwydd o hyd yma ym Mharis, ac er ei fod o'n mynd yn braidd yn ddiflas i mi erbyn hyn, doedd fawr o ots gan Dad. A dweud y gwir, roedd o'n edrych fel petai'n mwynhau'r sylw. Y rhan fwyaf o'r amser, byddai'n cael tynnu ei lun, ac yn arwyddo 'Joe Allen' ar ddarn o bapur, heb drafferthu dweud nad fo oedd Joe Allen go iawn. Roedd hynny'n haws, medda fo, ac yn cymryd llai o amser nag esbonio'r gwir.

"A beth bynnag, mae o'n gwneud pobl yn hapus i feddwl eu bod nhw wedi gweld eu harwr," meddai wrtha i ar ôl ychydig ddyddiau ym Mharis. "Dwi ddim eisiau eu siomi nhw."

Pan ddaeth hi'n amser i adael y bwyty, gofynnodd un o ffrindiau Dad i'r gweinydd am y bil. Ond yn lle dod yn ôl gyda darn papur bach, daeth y dyn ifanc yn ôl at ein bwrdd ni gyda dyn hŷn mewn siwt ddu. Cyflwynodd ei hun fel rheolwr y bwyty, a dywedodd nad oedd o am i ni dalu am ein bwyd y noson honno!

"But why?" gofynnodd un o ffrindiau Dad yn syn.

"It is an honour for us to have served Mr Allen," nodiodd y dyn i gyfeiriad Dad. "We will not take money from such an accomplished player."

Bu tawelwch rhyfedd o gwmpas ein bwrdd.

"Hang on…" dechreuodd Dad.

"The header you scored for Liverpool against Crystal Palace in 2014… *C'est magnifique.* Good luck with Wales in the European Championship." A gwenodd y rheolwr yn gynnes, gwyro ei ben, a diflannu'n ôl i'r gegin.

Yn fuan wedyn, gadawodd Dad a finnau i gerdded i'r gwesty, ac aeth ffrindiau Dad i gyfeiriad eu gwesty nhw, gan ffarwelio'n hapus â ni. Roedd pawb wedi gwirioni eu bod nhw wedi cael pryd crand am ddim.

"Dad," meddwn ar ôl ychydig. "Dwi'n meddwl y dylian ni fynd yn ôl i'r bwyty i dalu."

Rhoddodd Dad wên fach, ac ysgwyd ei ben.

"Paid â bod yn wirion. Roedd y dyn 'na isio rhoi'r bwyd i ni!"

"Ond roedd o isio rhoi'r bwyd i Joe Allen, dim i ni. Celwydd ydi o, mewn ffordd!"

Stopiodd Dad wedyn, yng nghanol y stryd, a throi i edrych arna i.

"Marc, 'dan *ni*'n hapus am eu bod nhw wedi rhoi bwyd am ddim i ni. Ac maen *nhw*'n hapus am eu bod nhw'n meddwl eu bod nhw wedi cael bwydo Joe Allen."

"Ond dydi o ddim yn *onest*, Dad!"

Ochneidiodd Dad, a rhedodd ei fysedd drwy ei wallt.

"Paid â sbwylio pethau, Marc. Dwi'n gwneud fy ngorau glas i wneud yn siŵr dy fod ti'n cael amser da."

Teimlais yn euog wedyn, felly dyma fi'n cau fy ngheg. Ond wrth i ni gerdded yn ôl i'r gwesty, y cyfan y gallwn i feddwl amdano oedd y bobl yn y bwyty, a'r ffaith 'mod i'n amau'n gryf na fyddai Joe

Allen ei hun wedi gadael i'r bobl ffeind roi pryd crand am ddim iddo fo.

Roedd Joe yn ddyn da.

8

MAE'N RHAID I mi gyfaddef, doeddwn i ddim wedi clywed am Villeneuve-d'Ascq cyn i mi fynd yno. Rhan o ddinas o'r enw Lille ydi o. Mae o tua dwy awr a hanner o Baris. Wel, mi oedd o yng nghar bach Dad, beth bynnag, ond mae o'n gyrru'n gyflym iawn. Mae o'n ofnadwy o agos at Wlad Belg, oedd yn rhyfedd, achos yn erbyn Belg roedden ni'n chwarae'r noson honno.

Doedd y gêm ddim ymlaen tan yn hwyr yn y nos, ac felly doedd dim brys i ni adael Paris. Teimlwn yn rhyfedd yn gadael y gwesty. Roedd o fel ail gartref i mi rŵan, fel taswn i wedi bod yma'n llawer hirach nag wythnos. Ro'n i wedi cael ambell sgwrs efo Marcel a Delphine, oedd yn gweithio yn y dderbynfa, ac wedi dysgu iddyn nhw sut i ddweud 'Croeso' a 'Diolch' yn Gymraeg, rhag ofn iddyn nhw gael mwy o westeion Cymraeg rhywbryd. Wrth i ni adael efo'n bagiau ar ein cefnau, galwodd Marcel, "Hwyl fawr, Marc Huws a Joe Allen!" a chodais innau fy llaw a dweud, "*Au revoir*, Marcel." Byddai Madame Perrot wedi bod wrth ei bodd.

Doedd Dad ddim mewn hwyliau mor dda'r diwrnod hwnnw. Efallai ei fod o'n dal i fod yn flin efo fi am ddweud beth wnes i am y pryd bwyd am ddim y noson gynt. Neu efallai ei fod o'n flinedig. Roedd o'n dawel iawn yn y car, a phan gyrhaeddon ni Villeneuve-d'Ascq, wnaeth o ddim gofyn i mi ei helpu i ddod o hyd i'r gwesty na dim. Wyddwn i ddim oedd hi'n iawn i mi ddechrau sgwrs, neu a fyddai hynny'n gwylltio Dad. Wedi'r cyfan, doeddwn i ddim yn ei adnabod o go iawn. Mae'n siŵr fod hynny'n swnio'n od. Fo oedd fy nhad i, wedi'r cyfan.

Roedd y gwesty yma ychydig yn wahanol i'r un ym Mharis. Maison Michel oedd ei enw, ac roedd o'n hen, hen adeilad ar stryd fawr lydan o adeiladau brics coch, a choed yn tyfu yma ac acw ar y palmentydd. Hen ŵr oedd yn eistedd y tu ôl i'r ddesg, a'i wyneb o'n llawn crychau fel papur wedi plygu. Roedd o'n gwylio hen ffilm gowbois ar hen deledu pan gerddon ni i mewn, a throdd i edrych arnon ni a rhoi gwên fach, fach.

"*Bienvenue*," meddai, sy'n golygu 'croeso' yn Ffrangeg. Esboniodd Dad wrtho yn Saesneg ein bod ni wedi trefnu i aros yma, ystafell i ddau. Syllodd y dyn ar Dad am ychydig eiliadau, cyn troi a chwilio mewn bocs o allweddi. Siaradodd bymtheg y dwsin yn Ffrangeg, ac, wrth gwrs, doeddwn i na Dad yn deall gair. Amneidiodd gyda'i ddwylo, hefyd, fel petai'n dweud rhywbeth pwysig, ac yna tawelodd, fel petai'n aros am ateb.

"*Non parlez vous Français…*" meddai Dad yn ansicr, heb syniad yn y byd a oedd hynny'n gwneud synnwyr. Ysgydwodd yr hen ŵr ei ben.

"*Vingt-trois!*"

"*Non parlez…*" dechreuodd Dad eto.

"Dau ddeg tri. Mae o'n dweud ein bod ni yn ystafell 23," esboniais.

Nodiodd Dad, a chymryd y goriad gan yr hen ŵr. Gwenodd yntau'n llydan arna i, gan ddangos fod ambell ddant ar goll ganddo.

Roedd ystafell 23 yn fawr, ac yn edrych allan dros y stryd. Llawr pren oedd yno, a hen deledu bach. Roedd y papur wal blodeuog yn dechrau cyrlio yn y corneli, ac roedd arogl llwch yma, fel petai'r lle wedi bod yn wag ers hydoedd.

"Dymp llwyr!" ochneidiodd Dad, wrth daflu ei fag ar un o'r ddau wely sengl yn yr ystafell. "Dim ots. Dim ond yma i gysgu ydan ni."

Ond roeddwn i'n hoffi ystafell 23 yn Maison Michel. Roedd o braidd yn oer ac yn hen ffasiwn, ac roedd 'na lwch ar y cwpwrdd ac roedd y tap yn yr ystafell ymolchi'n gollwng, ond roedd o'n teimlo'n hollol wahanol i bob man ro'n i wedi bod o'r blaen. Roedd o fel mae Ffrainc yn edrych mewn ffilmiau.

Ymhen dim, roedd hi'n amser i ni gychwyn allan i chwilio am y stadiwm a'r gêm hollbwysig yn erbyn Belg.

Doedd dim angen bws y tro yma, meddai Dad. Roedd gwell hwyliau arno fo ers iddo gael cawod a chysgu am awr. Wrth i ni gerdded i lawr y stryd i gyfeiriad y stadiwm, dechreuodd siarad am yr adeg roedd o'r un oed â fi, ac yn chwarae pêl-droed i'r un tîm ag oeddwn i'n chwarae iddo. Roedd o'n dweud ei fod o wedi bod yn sgoriwr heb ei ail, dim ond ei fod o wedi torri ei ffêr pan oedd o'n bedair ar ddeg, a'i fod o wedi cymryd amser maith i fendio.

"Ti'n dal i chwarae pêl-droed weithia, Dad?" gofynnais, gan feddwl efallai ei fod o'n chwarae yng Nghonwy, efallai, efo'r ffrindiau roedden ni wedi eu gweld yma yn Ffrainc.

"Rhy brysur, boi. Dwi'n gweithio'n galed, ti'n gweld. Does 'na ddim llawer o amser i wneud dim byd arall."

Roedd hynny'n gwneud synnwyr, wrth gwrs, achos roedd o'n rhy brysur i ddod i 'ngweld i'n aml.

Lle braf oedd Villeneuve-d'Ascq. Er ei fod o'n brysur ac yn llawn pobl a cheir a siopau, roedd o'n wyrdd iawn hefyd, gyda choed yn tyfu ynghanol yr holl adeiladau. Roedd ffans Cymru ym mhob man, ac os rhywbeth, roedd gwell hwyliau arnyn nhw nag oedd wedi bod ym Mharis. Ac roedd hynny'n dweud lot! Ar bob stryd, roedd pobl yn chwerthin ac yn canu, a phobl yn galw "Heeeeei, Joe Allen!" ar Dad wrth i ni basio. Byddai Dad yn codi ei law bob tro.

Stopiodd Dad a finnau i gael byrgyr ar y ffordd i'r gêm, ac yna, ar ôl cwrdd â'i ffrindiau y tu allan i fwyty bach Eidalaidd, fe wnaethon ni ymuno â'r holl ffans oedd yn llifo i'r stadiwm. Teimlwn y nerfau yn ffrwtian yn fy mol. Gwyddwn fod Belg yn goblyn o dîm da. Fyddai'r gêm yma'n un anodd iawn i'w hennill.

Cefais yr un teimlad yna eto wrth gerdded i mewn i'r stadiwm, fel petai rhywbeth yn chwyddo y tu mewn i mi, ac erbyn i ni ddod o hyd i'n seddi, gallwn deimlo fy nghalon yn curo'n drwm dan fy nghrys Cymru. Edrychais i lawr ar y ddraig goch oedd uwchben fy mrest – symbol tîm Cymru – a gweld y geiriau yna oddi tani. Gorau Chwarae Cyd Chwarae. Roedd yn rhaid i ni ennill heddiw, a ninnau wedi dod mor bell.

Gwyliais y tîm yn dod allan fel taswn i'n gwylio hen ffrindiau yn dod adref. Teimlwn 'mod i'n eu hadnabod nhw i gyd. Roedd y sŵn o'n cwmpas ni yn rhyfeddol – rhu o bobl yn siarad a chanu a chwerthin a dathlu, nid dathlu ennill, achos doedd neb wir yn disgwyl ennill, ond dathlu bod gan Gymru dîm mor dda. Roedd gan Belg sêr fel De Bruyne, Fellaini a Nainggolan. Roedd pawb yn disgwyl iddyn nhw ennill, ond fedrwn i ddim peidio â gobeithio.

Ar ôl canu'r anthem, a theimlo fy llais yn cracio, pwysodd Dad draw ata i a dweud, "Paid byth anghofio hyn, ocê, Marc?"

"Byth," atebais, gan sychu fy nagrau gyda chefn fy llaw.

A gwyddwn ei fod o'n wir hefyd.

Tra bydda i byw, dwi ddim yn meddwl y gwna i weld chwarae mor wych â'r gêm yna eto. Roedd hi'n anhygoel. Ro'n i bron yn sicr drwy'r chwarter cyntaf nad oedd gan Gymru unrhyw obaith o ennill. Daeth Eden Hazard, un o chwaraewyr canol cae Belg, yn beryglus o agos at sgorio, ac mi fyddai hi wedi bod yn chwip o gôl hefyd.

Ac yna, ar ôl 13 munud, gôl hyfryd gan Nainggolan.

1–0 i Wlad Belg. O na!

Ond wedyn, Ashley Williams yn penio'r bêl i mewn i ddod â ni'n gyfartal.

1–1!

Rhuodd y stadiwm, a rhedodd Ashley mewn llawenydd llwyr, gan sbio arnon ni, y cefnogwyr, fel petaen ni'n ffrindiau gorau iddo.

Roedd 'na gymaint o adegau pan oedd Belg bron iawn â sgorio. Ond ar ôl hanner amser, a minnau bron iawn yn sâl efo nerfau, a digon o gyfleoedd eto i ddod, gwelais un o'r goliau gorau erioed. Roedd o fel hud a lledrith, ac fe ddaeth ar ôl 55 munud.

Robson-Kanu.

Cafodd y bêl, a rhywsut, fel consuriwr, trodd efo'r bêl heb i unrhyw un o dîm Belg lwyddo i gael gafael arno. Saethodd, a sgoriodd.

2–1.

Roedden ni ar y blaen! Cymru ar y blaen i Wlad Belg! Waw!

Dwi ddim yn meddwl i mi gael cyfle i anadlu'n iawn am weddill y gêm. Roedd popeth mor agos. Er ein bod ni ar y blaen, doeddwn i ddim yn teimlo'n saff. Ac yna, a dim ond pedwar munud o'r gêm yn weddill, peniodd Sam Vokes y bêl, a sgorio un arall i ni.

Neidiais i fyny'n uchel, a sgrechian fel peth gwyllt.

3–1!

Yn erbyn blincin Belg! Erbyn i'r chwiban olaf gael ei chwythu, roedd dagrau'n powlio i lawr fy ngruddiau. Edrychais draw ar Dad, oedd hefyd yn crio – ond nid fel roeddwn i. Roedd ei ysgwyddau'n ysgwyd, a'i anadl yn fyr.

"Dad!" meddwn, yn methu coelio ein bod ni wedi ennill.

"Paid anghofio hyn," meddai eto, a'i lais yn llawn dagrau.

"Na, byth."

Roedd yr awyrgylch y noson honno yn hollol afreal, fel byw mewn breuddwyd. Roedd y rhan fwyaf o'n cefnogwyr ni yn bloeddio ac yn canu ac yn dathlu, ond ambell un yn hollol dawel, wedi cael sioc fawr ein bod ni'n gwneud mor dda.

"'Dan ni'n mynd i'r *semi-finals*!" meddai un o ffrindiau Dad wrth i ni orymdeithio drwy'r strydoedd efo'r cefnogwyr eraill. "Ni! Cymru fach!"

"Roedd y gôl Robson-Kanu 'na…" dechreuodd Dad, ond methodd â dod o hyd i'r geiriau i orffen y frawddeg.

"Anhygoel," ysgydwais fy mhen.

Yn lle mynd yn syth yn ôl i'r gwesty, aeth Dad a finnau efo'i ffrindiau i un o'r strydoedd prysuraf, lle roedd Cymru gyfan yn cael parti! Neu fel yna roedd hi'n teimlo. Welais i erioed gymaint o bobl, pob un yn mwynhau ac yn dathlu, a phob un wyneb yn gwenu. Roedd o'n brofiad arbennig. Prynodd Dad botel o bop i mi a pheint o gwrw iddo fo ei hun, ac arhosodd bawb allan tan yr oriau mân. Dechreuais i siarad efo criw o bobl o Fachynlleth, oedd wedi dod efo'u plant, ac felly roedd Dad yn hapus efo'i ffrindiau o, a minnau'n hapus iawn, iawn efo fy ffrindiau newydd i. Doedd dim ots oeddech chi'n nabod eich gilydd ai peidio, roedd pawb yn ffrindiau os oeddech chi'n cefnogi'r un tîm.

"Mae dy dad di fel Joe Allen yn union," meddai un o'r hogiau o Fachynlleth.

"Yndi," atebais, ac edrych draw ar Dad, oedd yn edrych yn hapusach nag y gwelais i o erioed. "'Dan ni'n mynd i'r semis hefyd! Dach chi'n dod?"

Doedd gen i ddim syniad am yr hyn a oedd yn mynd i ddigwydd cyn y gêm nesaf. Petawn i'n gwybod, dwi'n meddwl y byddwn i wedi gofyn am gael mynd yn ôl i Gymru yn y fan a'r lle.

9

ROEDD PUM NIWRNOD arall cyn y gêm nesaf, a gallwn deimlo'r nerfau'n dechrau cronni'n barod. Er na chyrhaeddodd Dad a finnau'r gwesty tan un o'r gloch y bore ar ôl gêm Belg, wnaeth 'run ohonon ni gysgu tan dri. Gorweddodd y ddau ohonon ni yn ein gwlâu bach lympiog yn Maison Michel, yn trafod y gêm ac yn mynd dros bob un gôl ganwaith. Roedd pob chwithdod wedi diflannu ers y diwrnod cynt. Mae pêl-droed yn fwy na gêm.

Cysgodd Dad a fi tan amser cinio'r diwrnod wedyn, a threulio gweddill y diwrnod mewn caffi bach, ac mewn parc cyfagos yn yr haul. Roeddwn i wedi ymlâdd. Ffoniais Mam, wrth gwrs, ac roedd hi'n swnio'r un mor gyffrous am y gêm â fi.

"Roedd gôl Robson-Kanu yn wych!" meddai.

"O'n i'n methu coelio'r peth, Mam."

Roedd Dad a fi'n eistedd ar y gwair mewn parc, ac roedd o'n chwarae efo'i ffôn wrth i mi sgwrsio efo Mam. Roeddwn i wedi siarad efo hi droeon ers cyrraedd Ffrainc, ac wedi anfon llawer o luniau ar fy ffôn hefyd. Roedd hi'n swnio'r un fath ag arfer, ond roedd adref yn teimlo yn bell, bell i ffwrdd i fi.

"Mae'n siŵr fod yr awyrgylch yn wych," meddai Mam wedyn.

"Oedd. Lle wyt ti?" Ro'n i'n licio gwybod lle yn union oedd hi pan roedden ni'n siarad ar y ffôn, fel 'mod i'n gallu ei dychmygu hi'n glir.

"Yn yr iard gefn. Mae'n gynnes braf yma. Tywydd siorts."

"Ydi pawb yn iawn?"

"Wrth gwrs. Pawb yn holi amdanat ti. Pawb yn croesi ei bysedd am y gêm gynderfynol."

"Dwi'n dechrau siarad mwy o Ffrangeg, Mam," dywedais wedyn, a chwarddodd Mam.

"O, reit dda! Efo pwy?"

"Y dyn sydd piau'r gwesty. Mae o'n hen ac yn od a dydi o ddim yn siarad lot o Saesneg. Felly dwi'n trio 'ngorau!"

Roedd o wedi siarad efo fi eto'r prynhawn hwnnw, wedi rhoi llond ceg o Ffrangeg i mi, a minnau'n deall dim. Ond roeddwn i wedi cofio un frawddeg bwysig a ddysgodd Madame Perrot i ni, sef *Je ne comprends pas* – Dwi ddim yn deall. Dyna ddywedais i wrth y dyn, a gwenodd o, fel petai hynny'n ei blesio fo'n fawr. Pwyntiodd at fy nghrys a dweud, "*Pays de Galles.*" Gwyddwn, wrth gwrs, mai dyna oedd y gair Ffrangeg am Gymru.

"Ia! Ia! *Pays de Galles.* Cymru. *Oui!*"

Roedd yr hen ŵr wedi siarad mwy efo fi wedyn, a minnau ddim yn deall gair, ond dwi ddim yn meddwl bod hynny'n poeni dim arno fo.

"Be wnewch chi tan y gêm nesa, 'ta?" gofynnodd Mam ar y ffôn.

"Mae Dad am fynd â fi i gefn gwlad, dwi'n meddwl. I weld y Ffrainc go iawn."

"O!" meddai Mam mewn syndod. "Mae hynny'n swnio'n hyfryd. Cymer ofal, iawn?"

"Iawn. A chditha, Mam. Ta-ra."

"Hwyl i ti, 'ngwas i."

Waeth i mi gyfaddef, roeddwn i wedi meddwl y byddai dyddiau'n crwydro cefn gwlad Ffrainc yn ofnadwy o ddiflas. A beth bynnag, doeddwn i ddim yn meddwl bod gan Dad lawer iawn o ddiddordeb yn y math yna o beth. Ond roedd o'n benderfynol, ac felly, y bore wedyn, fe neidion ni i'r car a gyrrodd Dad allan i'r wlad.

"I lle 'dan ni'n mynd?" gofynnais.

"Dim syniad," atebodd Dad gyda gwên. "Mae'r tanc yn llawn petrol. Dwi'n ffansïo cinio mewn caffi bach yng nghanol y wlad. Be ti'n ddeud?"

Roedd y dyddiau yna efo Dad yn teimlo fel trip hollol wahanol i'r trip pêl-droed. Bob dydd, bydden ni'n cychwyn allan yn y car, ac yn rhoi cerddoriaeth Gymraeg ymlaen yn uchel. Wedyn, byddai Dad yn dweud, "Dwed ti lle i droi." Byddwn innau'n dweud "I'r chwith yn fan hyn" neu "I'r dde fyny fan'na", a byddai Dad yn ufuddhau bob tro. Ein gobaith oedd cyrraedd y lle mwyaf gwledig posib, a chael crwydro yno, mynd am dro a dod o hyd i rywle i gael cinio. Fe lwyddon ni i ddod o hyd i lefydd hyfryd, efo enwau fel Le Paradis, L'Hamelot a Drumez. Un diwrnod, gyrrodd Dad dros y ffin i Wlad Belg, er mwyn i mi gael dweud 'mod i wedi bod yno, mewn gwlad arall eto.

Roeddwn i'n hoff iawn o Dad ar y dyddiau yna.

Roedd o'n ymlacio, ac yn gwenu lot, a doedd o ddim yn poeni am bethau fel cyrraedd yn ôl i'r gwesty ar amser call, a chadw at amseroedd arferol i fwyta cinio a swper. A dweud y gwir, roedd o'n eithaf tawel, ac roedd hynny'n braf. Fel arfer, byddai'n siarad lot, fel petai o'n anghyffyrddus efo tawelwch. Ond yng nghefn gwlad Ffrainc, pan oedden ni'n cerdded ar hyd lonydd a ddim yn gwybod i ble roedden ni'n mynd, neu'n archebu bwyd nad oedden ni'n siŵr beth oedd o oddi ar fwydlenni doedden ni ddim yn eu deall, roedd Dad yn ymddangos yn hapus.

"Biti fod petha ddim fel hyn adra, ynte," meddai Dad un prynhawn, wrth i ni gerdded i lawr ffordd gul. Roedd caeau melyn tlws ar un ochr, a choedwig ar y llall.

"Be ti'n feddwl?" gofynnais.

"Dim pwysau. Dim gwaith. 'Dan ni'n hollol rydd."

Meddyliais am hynny ryw ychydig wrth gerdded yn ei ymyl o. Ro'n i'n mwynhau'r gwyliau, wrth gwrs, ond roedd rhan ohona i'n edrych ymlaen at fynd adref hefyd.

"Mae adre'n gallu bod gystal â fama, sti," dywedais.

Nodiodd Dad, ac edrych i lawr.

"Dwi'n falch dy fod ti'n deud hynna, Marc. Mae dy fam yn dy fagu di'n dda."

Roedd 'na gymaint o bethau roeddwn i eisiau eu dweud yn ateb i hynny. *Ydi, ar ei phen ei hun. Weithiau, dwi isio mwy na dim ond Mam. Dwi dy angen di hefyd, Dad.* Ond ddywedais i ddim byd. Doeddwn i ddim am amharu ar ein diwrnod hyfryd ni.

Y noson honno, cerddodd Dad a fi i mewn i Lille, lle roedd ffrindiau Dad yn aros. Roedd hi'n ffordd eithaf hir – hanner awr o gerdded, a dim ond ar un lôn. Y diwrnod wedyn, byddai pawb yn teithio i lawr i rywle o'r enw Décines-Charpieu, oedd oriau ac oriau i ffwrdd, i weld y gêm nesaf yn erbyn Portiwgal. Byddai noson yn Lille efo ffrindiau Dad yn ffordd o ddweud hwyl fawr i'r rhan yma o Ffrainc – y rhan roeddwn i wedi ei hoffi fwyaf.

Roedd hwyliau da ar ffrindiau Dad, ac er bod y rhan fwyaf o gefnogwyr Cymru wedi gadael Lille yn barod, roedd 'na ddigon yma i mi gael gwneud ambell ffrind newydd, a chael sgwrs. Roedd hi'n noson braf, ac ar ôl cael *crêpe* – sydd yn fath o grempog tenau, tenau – efo caws a ham, roeddwn i'n teimlo'n hapus braf.

Dyna pryd wnes i ddechrau sylwi bod Dad wedi newid eto.

Doedd o ddim yr un fath ag oedd o wedi bod efo fi dros y dyddiau diwethaf. Roedd o'n sgwario, braidd, ac yn siarad yn uwch. Roedd o wrth ei fodd pan oedd pobl yn dweud ei fod o fel Joe Allen, yn gwirioni ar gael sylw. A doedd o ddim yn gwenu mor gynnes arna i, chwaith.

Pam ei fod o'n ymddwyn mor wahanol efo pobl eraill?

Pam ei fod o'n smalio bod yn rhywun arall pan oedd Kevin, neu Dad i fi, gystal ag unrhyw un?

Os oedd o mor frwd am bêl-droed, pam nad oedd o byth yn dod i 'ngweld i'n chwarae?

Os oedd o mor benderfynol o ddod i fy nabod i ar y trip yma, pam nad oedd o wedi gofyn amdana i o gwbl – am fy ffrindiau ysgol, neu fy hoff bynciau, neu beth oeddwn i eisiau ei wneud pan o'n i'n oedolyn?

"Ga i fynd i nôl siocled o'r siop yna?" gofynnais i Dad wrth iddo chwerthin efo'i ffrindiau. Roedd y siopau i gyd ar agor yn hwyr yn Ffrainc, ac roedd 'na un fawr ar y gornel. "A gweld os oes ganddyn nhw gylchgronau Saesneg?"

Nodiodd Dad, braidd yn ddiamynedd, a gwthiodd bres i mewn i'm llaw.

"Paid â'i wario fo i gyd."

Ro'n i'n hoffi'r siopau yn Ffrainc. Roedd llawer o bethau'r un fath â'r pethau oedd ar werth yn siopau Bangor, ond roedd llawer o bethau hollol wahanol hefyd, fel siocledi a da-das a chreision nad oedden nhw ar gael yng Nghymru. Penderfynais gymryd fy amser wrth edrych o gwmpas, a thrio dewis rhywbeth nad oeddwn i wedi ei gael o'r blaen. Edrychais am gylchgrawn Saesneg, ond dim ond un diflas iawn am wleidyddiaeth oedd ar gael, felly agorais un Ffrangeg am bêl-droed, a gweld a oeddwn i'n deall unrhyw beth. Roedd 'na ambell air yn gyfarwydd i mi, a phenderfynais brynu'r cylchgrawn. Efallai y byddai'n fy helpu i ddysgu ychydig mwy o Ffrangeg erbyn mynd yn ôl i'r ysgol at Madame Perrot flin.

Dwi'n meddwl 'mod i wedi bod yn y siop am ryw chwarter awr, a chroesais y sgwâr at y cadeiriau lle ro'n i wedi bod yn eistedd efo Dad a'i ffrindiau. Dim ond wrth i mi gyrraedd y gwnes i sylwi bod y cadeiriau i gyd yn wag, a photeli gweigion ar y bwrdd.

Rhewais, ac yna edrych o 'nghwmpas.

Doedd dim siw na miw o Dad yn unman.

"Dad!" galwais, gan feddwl am eiliad mai jôc oedd y cyfan, ac y byddai'r criw i gyd yn ymddangos o rywle, yn chwerthin ar yr olwg o ofn oedd ar fy ngwyneb.

Ond ni ddaeth neb.

"Dad!" galwais eto.

Ond roedd o wedi mynd.

Gwnes i 'ngorau i beidio mynd i banig. Doedd o ddim wedi mynd yn bell. Byddai'n siŵr o fod o gwmpas yn rhywle. Ond chwiliais a chwiliais, a doedd dim golwg ohono. Gallwn deimlo'r pryder yn chwyddo'n ddu y tu mewn i mi, ac roedd o'n deimlad ofnadwy.

Ymestynnais i 'mhoced i nôl fy ffôn, a ffoniais Dad. Ond roedd o'n mynd yn syth i'r peiriant ateb. Mae'n rhaid ei fod o wedi ei ddiffodd o, neu ei fod o wedi colli signal.

"Dad!"

Ro'n i'n gweiddi rŵan, ac yn chwyrlïo mewn cylch, yn chwilio a chwilio pob wyneb am Dad neu un o'i ffrindiau.

"You alright, mate?" gofynnodd rhyw ddyn caredig yr olwg mewn crys Cymru.

"Have you seen my dad? He's a bit short, long hair, a beard… Looks like Joe Allen…"

"Oh yeah, he was sitting here a minute ago, but I didn't see where he got to…"

Rhedais i ffwrdd cyn iddo allu gorffen ei frawddeg. Roeddwn i mewn panig llwyr bellach.

Wrth gwrs, mae 'na bethau mae rhywun i fod i'w gwneud os ydyn nhw'n mynd ar goll. Dylwn i fod wedi aros yn y caffi nes fod Dad yn dod yn ôl i chwilio amdana i, neu chwilio am heddwas. Y peth olaf y dylwn i fod wedi'i wneud oedd rhedeg o gwmpas y caffis yn chwilio am Dad, yn gweiddi ac yn rhuthro ac yn mynd mor bell fel na fedrwn i ddod o hyd i'r sgwâr lle roeddwn i wedi colli Dad yn y lle cyntaf.

Chwiliais a chwiliais a chwiliais. Ro'n i bron â drysu, a 'nghalon i'n drymio. Erbyn hyn, roedd yr awyr yn dywyll, a chanol Lille yn teimlo fel petai miloedd o bobl yn crwydro o gwmpas, yn chwerthin ac yn sgwrsio ac yn cario 'mlaen fel petai dim wedi digwydd.

Stopiais yng nghanol stryd lydan, anghyfarwydd. Ro'n i'n drwm fy ngwynt ac wedi ymlâdd. Pam fod Dad wedi 'ngadael i fel'na?!

Rhywsut, wrth grwydro, dois o hyd i'r stryd hir oedd yn edrych yn debyg i'r un oedd yn arwain yn ôl at Maison Michel. Ac er 'mod i'n gweld rŵan mai dyna oedd y peth anghywir i'w wneud, ei fod o'n beth gwirion a pheryglus a dwl, dechreuais gerdded yn ôl i gyfeiriad y gwesty. Roeddwn i'n crio – dwi'n meddwl mai'r sioc oedd yn gyfrifol am hynny – ac roedd ambell un yn gofyn i mi wrth basio, "*Vous êtes bien?*" Wyddwn i ddim beth oedd hynny'n ei olygu, felly fe anwybyddais bawb, er eu bod nhw'n edrych yn glên. Mae'n rhaid fod Dad wedi dychwelyd i'r gwesty!

Roedd hi'n hanner awr hir o gerdded yn ôl i Maison Michel, a finnau'n pendilio rhwng crio mewn panig a thrio dweud wrtha i fy hun y byddai popeth yn iawn. Ond y gwir oedd, roeddwn i mewn gwlad estron, lle nad oeddwn i'n deall yr iaith, roedd hi'n nos, ac roedd yr un person oedd i fod i edrych ar f'ôl i wedi diflannu.

Cyrhaeddais stryd Maison Michel, a sylweddoli'n sydyn nad oedd gen i oriad i'r lle. Byddai'r drws wedi cau! Roedd hi ymhell wedi deg o'r gloch. Fedrwn i wneud dim, dim ond cnocio ar y drws mawr pren, a chnocio a chnocio nes fod yr hen ŵr yn ei agor, ei lais yn parablu'n flin. Ond tawelodd pan welodd o fi'n sefyll ar garreg y drws yn ddagrau i gyd.

"Is my Dad here?" gofynnais, cyn cofio'r gair Ffrangeg. "*Père?*"

"*Père?*" ailadroddodd yr hen ddyn mewn penbleth. Yna, ysgydwodd ei ben. "*Non.*"

Rhaid i mi gyfaddef, mi wnes i regi wedyn. Roeddwn i wedi darbwyllo fy hun y byddai Dad yn y gwesty yn aros amdana i, yn llawn ymddiheuriadau ac yn gwenu'n glên. Ond doedd o ddim yma. Dechreuais grio eto, crio go iawn. Dywedodd y dyn wrtha i am fynd i mewn i'r gwesty, a dyna wnes i. Aeth â fi i'r ystafell fyw, oedd yn cynnwys dwy hen soffa a hen deledu mawr, a bar bach ar gyfer unrhyw westeion oedd eisiau diod. Aeth y dyn i wneud galwad ffôn – i'r heddlu, mae'n siŵr – ac yna daeth i mewn ata i. Tywalltodd wydraid o lemonêd a'i gynnig i mi, a chymerais i sip. Roedd o'n fflat.

Dechreuodd siarad efo fi yn Ffrangeg, fel roedd o wedi gwneud bob dydd ers i mi gyrraedd yma, ac atebais innau, fel arfer, "*Je ne comprends pas.*"

Bu tawelwch am ychydig, ac eisteddodd yr hen ddyn.

"*Je m'appelle Marc,*" dywedais, gan drio cofio'r ychydig Ffrangeg roeddwn i wedi ei ddysgu yn yr ysgol. "*J'ai douze ans. J'habites au Pays de Galles.*" Fy enw i ydi Marc. Dwi'n ddeuddeg oed. Dwi'n byw yng Nghymru.

Gwenodd yr hen ddyn, wrth ei fodd.

"*Je m'appelle Michel. J'ai soixante-douze ans.*"

J'habite en France." Fy enw i ydi Michel. Dwi'n saith deg dau mlwydd oed. Dwi'n byw yn Ffrainc.

Ac yna, fe ddechreuodd o siarad efo fi eto, ond yn lle meddwl nad oeddwn i'n deall y geiriau roedd o'n eu dweud, gwnes i 'ngorau i drio dychmygu pa fath o beth roedd o'n siarad amdano. Roedd o'n dweud geiriau fel *père* a *mère*, sef tad a mam, ond wyddwn i ddim oedd o'n siarad am fy rhai i neu ei rai o.

Wedyn, er ei fod o'n wirion bost, dechreuais innau siarad yn ôl efo fo yn Gymraeg, ac er nad oedd o'n deall, roedd o'n gwrando.

"Dwi ddim yn gwybod i ble aeth Dad. Pam wnaeth o ddiflannu fel'na? Ydi o ddim yn meddwl amdana i? A dwi 'di bod yn meddwl... Pam nad ydi o'n dod i Fangor i 'ngweld i? Pam? Dwi'n haeddu cael gwybod hynny, dydw?" Nodiodd Michel yn ddoeth. "A be os oes 'na rywbeth wedi digwydd i Dad? Falla'i fod o wedi cael ei frifo! Falla'i fod o wedi marw!"

Dechreuais grio eto.

Eisteddodd y ddau ohonon ni am ychydig, cyn i sŵn y goriad droi yn y drws, ac yn sydyn, dyna fo. Dad. Doeddwn i heb ei weld o ers mwy nag awr, a dyna lle roedd o, yn sefyll wrth dderbynfa'r gwesty, yn edrych o'i gwmpas fel dyn gwyllt. Rhuthrodd Michel a fi allan ato, a phan welodd Dad fi, ochneidiodd fel petai pwysau'r byd newydd lithro oddi ar ei ysgwyddau.

Ac yna, yn sydyn, trodd ei wyneb yn flin i gyd.

"Be ddiawl sy'n bod efo ti? Cerdded yr holl ffordd yn ôl yma ar dy ben dy hun? Mi fyddai unrhyw beth wedi gallu digwydd i ti!"

Syllais yn gegrwth arno. "Mi wnest ti adael hebdda i! Doedd gen i ddim syniad lle roeddet ti 'di mynd!"

"Mi ddois i'n ôl yn ddigon buan…"

"Wel, naddo, yn amlwg, achos ro'n i wedi mynd. Lle oeddach chi i gyd?"

"Wedi symud i gaffi arall! Mi ddois i'n ôl pan gofiais i…"

A dyma fo'n stopio, a gadael tawelwch ofnadwy ar ôl ei eiriau.

"Pan wnest ti gofio amdana i? Pan wnest ti gofio bod gen ti fab?"

Roedd fy llais yn swnio'n wahanol, fel llais rhywun arall. Teimlwn egni rhyfedd yn fy mreichiau a 'nghoesau, a doeddwn i ddim yn poeni am frifo teimladau Dad mwyach. Doeddwn i ddim yn poeni am unrhyw beth.

"Dim ond rhyw hanner awr..." dechreuodd Dad.

"Hanner awr? Hanner awr?!" poerais. "Mi wnest ti anghofio amdana i am hanner awr gyfan?"

"Hei!" gwaeddodd Dad, yn flin rŵan. "Mi ddylet ti fod wedi aros lle roeddet ti. Roeddan ni'n dau yn wirion..."

"Wrth gwrs dy fod ti wedi anghofio!" atebais, ac roedd fy llais yn uchel ac yn llawn gwenwyn. "Roeddet ti'n rhy brysur yn smalio bod yn Joe Allen! Yn rhy brysur yn meddwl amdanat ti dy hun, fel ti 'di gwneud erioed!"

Syllodd Dad arna i'n gegagored.

"Wel mae o'n wir!" ychwanegais. "Ti'n troi fyny yn tŷ ni, ac yn mynd â fi i'r Ewros, ac yn gwario llwyth o bres arna i... Ac mae hynna'n lyfli, Dad, ond wsti be? Dwi d'angen di ar bnawniau Sadwrn pan mae 'nhîm i'n colli 6–0, neu pan mae'n Ddolig ac mae pawb yn cael gweld eu teuluoedd, neu pan mae Mam jyst angen brêc oddi wrtha i!"

"Dim fy mai i ydi o 'mod i'n debyg i Joey," meddai Dad. "Dwi'n gwneud fy ngora!"

"Wel dydi o ddim yn ddigon da!" sgrechiais yn ôl. Doeddwn i ddim wedi sgrechian ar unrhyw un o'r blaen, a doeddwn i ddim yn hoff o'r teimlad o gwbl. "A dwyt ti ddim fel Joe Allen! Dim o gwbl! Dwi'n gwybod pob un dim amdano fo, ac mae o'n ffeind ac yn ddigri ac yn glyfar ac yn *neis*! Gorau Chwarae Cyd Chwarae, Dad. Ond ti'n gwybod dim byd am hynny!"

Doedd 'na ddim geiriau ar ôl wedi hynny. Edrychodd Dad ar y llawr, ac edrychais innau ar Dad, ac roedd popeth yn teimlo'n ofnadwy. Roedd rhan ohona i am ruthro draw a rhoi fy mreichiau amdano, ond wnes i ddim. Ro'n i dal yn flin.

Tyfodd y tawelwch rhyngon ni.

Yn araf, cerddodd Michel draw at Dad, a safodd o'i flaen, gan syllu i'w wyneb.

"Thank you for looking after him…" dechreuodd Dad, ond ysgydwodd Michel ei ben.

"*Vous êtes un mauvais père*," meddai Michel yn araf, ac er nad oedd Dad na finnau yn gwybod beth oedd ystyr y geiriau, roedd y ddau ohonon ni'n deall yn iawn rywsut.

10

ROEDD HI'N FWY na chwech awr o siwrnai o
Maison Michel i'r stadiwm lle roedd y gêm
nesaf, yn Décines-Charpieu. Os dach chi'n meddwl
fod chwech awr yn amser hir, mae o'n teimlo'n
llawer iawn hirach os ydych chi'n sownd mewn car
efo'ch tad ar ôl i'r ddau ohonoch chi gael coblyn o
ffrae fawr.

Doedd Dad ddim yn flin efo fi. Os rhywbeth,
roedd o'n fwy clên a gofalus ohona i nag o'r blaen,
fel taswn i'n sâl. Ond roedd 'na dawelwch od
rhyngon ni, a dim ond sŵn y miwsig yn y car yn
llenwi'r tawelwch.

Fe syrthais i gysgu, wedi ymlâdd ar ôl holl
ddrama neithiwr, a dwi'n meddwl 'mod i wedi
cysgu am oriau, achos pan ddeffrais i, dim ond awr
oedd i fynd tan i ni gyrraedd y gwesty.

"Meddylia," meddai Dad ar ôl sylwi 'mod i wedi
deffro. "'Dan ni am weld Ronaldo heno 'ma!"

Ro'n i'n deall yn iawn mai beth oedd Dad yn
ei ddweud oedd, *Beth am i ni anghofio neithiwr*

am rŵan, a chanolbwyntio ar y gêm? Ro'n i'n fwy na hapus i wneud hynny, felly sgwrsiodd y ddau ohonon ni am y gêm oedd i ddod heno. Roedd Portiwgal yn dîm arbennig, am fod un o sêr pêl-droed disgleiriaf y byd yn chwarae iddyn nhw – Ronaldo. Fedrwn i ddim coelio 'mod i'n mynd i'w weld o ymhen ychydig oriau!

Roedd y gwesty yma braidd yn ddiflas, yng nghanol parc siopa, a'r ystafelloedd yn wyn ac yn lân ac yn edrych fel y gwestai roeddwn i wedi aros ynddyn nhw ym Mhrydain. Dwi'n meddwl fod yn well gan Dad yr un yma na Maison Michel, ond ro'n i'n gwybod na fyddwn i byth yn anghofio fan'no.

Yr un peth gwych oedd fod y gwesty yn *llawn* cefnogwyr Cymru. Dwi ddim yn meddwl fod 'na unrhyw un arall yn aros yna o gwbl! Roedd o fel bod yn y Sioe Fawr, neu yn yr Eisteddfod Genedlaethol. Roedd rhaid i mi atgoffa fy hun 'mod i yn Ffrainc, nid yng Nghaernarfon neu Gaerdydd.

Wrth gwrs, roedd Dad yn dal i gael llawer o sylw am ei fod o'n edrych fel Joe Allen. Ar ôl popeth roeddwn i wedi ei ddweud y noson gynt, roedd o'n dal i fwynhau hynny. Dwn i ddim pam ei fod o'n mynd ar fy nerfau gymaint, a dweud y gwir. Doedd dim ots gen i yn y dechrau. Efallai am fod poster Joe Allen wedi bod efo fi bob nos ers blynyddoedd, a Dad heb fod yna o gwbl. Efallai am 'mod i'n gwybod popeth amdano, ac yn teimlo bod gen i hawl arno. Oedd Dad yn gwybod y ffeithiau bach dibwys am Joey? Oedd o'n gwybod ei fod o a'i wraig yn cadw ieir? Ei fod o'n gwneud lot efo elusennau pobl fyddar, am fod ei frawd wedi colli ei glyw pan oedd o'n fach? Oedd Dad yn gwybod fod Joey'n siarad Cymraeg, fel ni?

Doedd dim amser i gwrdd â ffrindiau Dad cyn y gêm yma, ac roeddwn i'n falch. Roeddwn i'n rhy nerfus i siarad efo unrhyw un wrth i ni gerdded drwy strydoedd y ddinas, a chefnogwyr Cymru o'n cwmpas ni i gyd.

"Os 'dan ni'n ennill hon…" dywedais wrth Dad, a 'nghalon i'n taranu wrth feddwl am y peth.

"Dwi'm isio meddwl am y peth. Mae'n *rhaid* i ni ennill. 'Dan ni wedi dod mor bell."

Dyna oedd yr 'Hen Wlad fy Nhadau' gorau eto. Wrth gwrs, fe griodd pawb, ac ro'n i'n meddwl am funud fod Chris Coleman, hyfforddwr Cymru, yn crio ar ochr y cae. Ond mae'n siŵr mai fi oedd yn dychmygu hynny.

Roeddwn i'n gwybod o'r dechrau un, dwi'n

meddwl. Teimlwn rywbeth yn codi y tu mewn i mi, fel taswn i'n llenwi efo dŵr.

Doedd dim sgôr yn yr hanner cyntaf, ac roedd o bron yn ormod i mi. Ro'n i eisiau ffrwydro.

Ronaldo sgoriodd gyntaf.

Suddodd y cefnogwyr o 'nghwmpas i dawelwch annaturiol, ofnadwy, wrth i gefnogwyr Portiwgal ar yr ochr draw neidio a gweiddi a dathlu.

"'Dan ni ddim wedi colli eto," meddai Dad wrth fy ymyl, er ei fod o'n edrych yn bryderus iawn.

Dim ond tri munud yn ddiweddarach, sgoriodd Nani ail gôl Portiwgal, a theimlais yr awyr yn mynd yn drwm, a'r bobl yn fud. Bob hyn a hyn, byddai rhywun yn rhegi neu'n gweiddi, ond roedd pawb yn gwybod erbyn hynny.

Doedd dim mwy o goliau yn y gêm honno.

Dyna oedd diwedd taith tîm Cymru yn Ewros 2016.

Rhoddais fy mhen i lawr ac edrych ar goncrid llwyd y stadiwm. Fedrwn i ddim crio rhagor. Doedd dim mwy o ddagrau. Ymestynnodd Dad ei law draw i ddal fy llaw i, a gwasgodd.

A dyna pryd y dechreuodd y canu.

'Hen Wlad fy Nhadau' – ein hanthem ni. Un person yn canu i ddechrau, ac yna ymunodd mwy a mwy, ac erbyn i ni gyrraedd y gytgan, roedd pawb yn ei morio hi. Roedd y geiriau'n golygu rhywbeth. Roedden ni'n dîm, waeth oedden ni'n ennill neu'n colli.

Ar ôl gorffen canu, symudodd Dad draw ata i, a 'nal i'n dynn yn ei freichiau. Doedd hynny ddim fel fo, ac er mawr syndod i mi, ro'n i'n teimlo'n saff yn ei freichiau. Wedyn, ar ôl iddo ollwng gafael, rhoddodd wên fach i fi. Gwên oedd yn edrych fel Dad, nid fel Joe Allen.

"Gorau Chwarae Cyd Chwarae," meddai.

Nodiais fy mhen. Roedd o'n llygad ei le.

11

MAE 'NA GYMAINT dwi heb ei ddweud am y trip i Ffrainc efo Dad. Does 'na ddim lle i ddweud yr hanes amdanon ni'n gweld un o fy hen athrawon ar y stryd ym Mharis; ac am y sgwrs gefais i efo hogiau caredig o Wlad Belg ar ôl i ni eu curo nhw. Dydw i heb sôn am faint o frechdanau menyn cnau wnes i a Dad eu bwyta yn ei gar bach o, nac am fynd ar goll ar strydoedd Paris, ac mae 'na gymaint dwi heb ei ddweud am y pêl-droed. Mi fyddwn i'n gallu sgwennu llyfr cyfan ar bob un o'r chwaraewyr, a deg llyfr arall am Chris Coleman.

Os dach chi'n chwilio am ddiweddglo taclus, hapus, mae'n rhaid i mi ymddiheuro. Wnaeth Cymru ddim ennill Pencampwriaeth Ewrop 2016. Doedd popeth ddim yn iawn rhwng Dad a fi ar ddiwedd y daith. Dim fel yna mae bywyd yn gweithio. Ond dyma i chi ambell ffaith i orffen y stori.

Er bod Dad wedi gaddo dod i 'ngweld i'n chwarae pêl-droed bob wythnos ar ôl dod adref, torrodd yr addewid o fewn mis. Ond roedd o *yn* well.

Byddai'n anfon negeseuon ffôn ata i sawl gwaith yr wythnos, ac roedd o'n dod i 'ngweld i bob pythefnos, o leiaf.

Cafodd datŵ 'Gorau Chwarae Cyd Chwarae' dros ei gefn, ac roedd o'n dweud mai amdana i oedd o, ac am ein trip ni i Ffrainc. Dwn i ddim a ydi hynny'n wir.

Cafodd Mam dorri ei gwallt a chyfle i beintio'i llofft tra oeddwn i ffwrdd. Roedd hi'n edrych yn wahanol pan gyrhaeddais i adref, fel petai hi oedd wedi bod ar wyliau, nid fi. Mae'n dal i wneud gormod o ffŷs am waith cartref, ond does neb yn berffaith.

Lawrlwythais ap ar fy ffôn er mwyn gallu dysgu Ffrangeg yn iawn, ac yna, sgwennais gerdyn post at Michel, o Maison Michel. Cefais lythyr hir yn ôl ganddo fo, ac rydan ni'n anfon llythyrau at ein gilydd yn aml rŵan. Efallai ei bod hi'n rhyfedd fod gen i ffrind sy'n hen ddyn o Ffrainc, ond wna i ddim anghofio mor glên oedd o efo fi.

Mae Cian drws nesaf yn dal i gasáu pêl-droed. Dwi'n dal i fod yn eiddigeddus fod ganddo fo dad sy'n pobi cacennau byth a hefyd.

Mae Madame Perrot wedi rhoi'r gorau i hefru. Dywedodd fod fy ngwaith yn *magnifique*. Dwi'n ystyried gwneud Ffrangeg fel pwnc TGAU – ac ymarfer corff, wrth gwrs.

Aeth Joe Allen o dîm Lerpwl i Stoke City. Dyfalwch pwy oedd yr hyfforddwr? Neb llai na Mark Hughes, yr un y ces i f'enwi ar ei ôl o! Ro'n i'n herian Dad o hyd mai fi oedd ei fòs o rŵan!

Mae'r poster o Joey yn dal i fod ar gefn fy nrws i. Dwi'n dal i edrych arno fo weithiau, a dwi'n dal i orfod meddwl am goliau gwych cyn mynd i gysgu yn y nos, yn lle poeni am bethau bach. Yn aml, bydda i'n meddwl am gôl Robson-Kanu yn erbyn Belg, a'r peth olaf fydd ar fy meddwl i cyn i mi gysgu fydd: *Ro'n i yna.*

Mae 'na un peth arall.

Tua blwyddyn ar ôl i ni ddod yn ôl o Ffrainc, roedd Mam a finnau ar ein ffordd i lawr i Gaerdydd ar wyliau bach. Roeddwn i angen dillad ysgol newydd, ac roedd hi wedi cael swydd newydd, ac roedd hi eisiau dathlu. Doedd o ddim mor gyffrous â mynd i Ffrainc, wrth gwrs, ond roeddwn i'n edrych ymlaen.

Mewn garej oedden ni, rhywle y tu allan i

Gaerdydd. Roedd Mam yn llenwi tanc y car efo petrol, ac roeddwn i yn y garej ei hun yn trio penderfynu pa dda-da i'w gael. A dyna pryd y clywais i o. Fe wnes i adnabod y llais yn syth.

Edrychais i fyny.

"Diolch," meddai Joe Allen wrth ddyn y garej, a chymryd ei gerdyn banc allan o'r peiriant. Trodd ar ei sawdl, a cherdded tuag ata i.

Joe Allen.

Yr un go iawn.

Edrychodd i fyny wrth fy mhasio i, a wir i chi, gwenodd Joey arna i. Fy arwr. Gwenodd yn glên, yn gynnes, fel petai o'n gwybod pwy oeddwn i.

Ceisiais feddwl am rywbeth i'w ddweud, ond roedd hi mor anodd. Roedd gen i gymaint o eiriau i'r dyn yma, a dim ffordd go iawn o esbonio mor bwysig oedd o i mi. Roedd o wedi agor y drws i adael cyn i mi gael cyfle i ddweud dim. Galwais arno, "Diolch!" ac roedd hynny, rhywsut, yn esbonio popeth. Edrychodd Joe i fyny, a gwenodd yn llydan.

"Croeso," atebodd, a chodi ei law.

Mewn eiliad, roedd o wedi mynd, wedi neidio i'w gar ac wedi gyrru i ffwrdd. Ond fe ddigwyddodd o go iawn, dwi'n gaddo i chi. Fe welais i Joey, ac fe ges i ddweud diolch wrtho am bob dim.

A dyna i chi'r hanes, er nad ydi o wedi gorffen eto, dwi ddim yn meddwl. Mae arwyr efo chi am byth.

Ac fel yna mae hi efo fi a Joe Allen.